DEVENEZ UN AS DU ♥♣♦♠ TEXAS HOLD'EM

50 conseils pour faire de vous un gagnant

DANIEL NEGREANU

DEVENEZ UN AS DU

♥♣♦♠

TEXAS HOLD'EM

50 conseils pour faire de vous un gagnant

Les Éditions Goélette inc.

Édition originale
Cardoza publishing
Titre original anglais :
Hold'em wisdom for all players

© 2007 par Daniel Negreanu
Tous droits réservés

Photo à l'endos du couvert «World Poker Tour» courtoisie de WPT Enterprises, Inc.
© 2005 WPT Enterprises, Inc.
Tous droits réservés

Pour la présente édition
© Les Éditions Goélette inc.
1350, Marie-Victorin, Saint-Bruno
www.editionsgoelette.com
Troisième trimestre 2008

Infographie : Katia Senay
Traduction : Patrice Théberge

Gouvernement du Québec -
Programme de crédit d'impôt pour
l'édition de livres - Gestion SODEC

Imprimé au Canada
ISBN : 978-2-89638-350-4

DANIEL «KID POKER»

Daniel Negreanu, l'un des joueurs les plus populaires et les plus charismatiques, dégage la confiance d'une nouvelle génération de joueurs de poker, qui a grandi avec Internet, les jeux vidéos et MTV. Bien connu pour son style de jeu agressif et sa personnalité aimable, Daniel Negreanu a été celui qui a gagné le plus d'argent pendant les premières années du «World Poker Tour» (WPT). Avant l'augmentation récente des bourses des Séries Mondiales de poker (WSOP), il était le premier boursier de tous les temps. En date de cette publication, Daniel Negreanu a remporté la somme colossale de huit millions de dollars. Et ce n'est pas fini.

Negreanu a remporté trois fois le bracelet de champion des WSOP, deux championnats du WPT, le titre de joueur de l'année du WPT et des WSOP, plus de 40 victoires dans des tournois internationaux et est reconnu comme étant l'un des meilleurs joueurs de tournoi au monde.

Negreanu a collaboré à la rédaction du livre de Doyle Brunson, *Super System 2*, signe *Jouer au poker avec Daniel Negreanu*, à titre de chroniqueur affilié d'un journal, diffusé par abonnement à l'échelle nationale, et agit comme consultant pour fullcontactpoker.com, qu'il a lancé en 2003. Il apparaît régulièrement à la télévision alors qu'il affronte les meilleurs joueurs du monde.

REMERCIEMENTS

Le poker a été très, très bon pour moi et je me dois de remercier ceux qui partagent avec moi le même engouement pour ce jeu.

J'aimerais, en premier lieu, remercier Steve Miller, de Card Shark Media, qui m'a encouragé à écrire ces lignes et qui m'a ainsi aidé à rejoindre des millions de lecteurs d'un bout à l'autre des États-Unis et du Canada. J'aimerais aussi exprimer ma reconnaissance à Avery Cardoza, des Éditions Cardoza, qui a permis la publication de ce livre, de même que Tom Mills, pour son formidable talent de rédacteur.

D'un point de vue plus personnel, je tiens à remercier ma mère, Annie Negreanu, pour avoir été la meilleure mère qu'un fils peut souhaiter, et mon père, Constantin, décédé en 1996. J'aurais tellement aimé qu'il puisse voir aujourd'hui ce qu'est devenu le poker et comment son fils se débrouille.

J'offre également tous mes remerciements à Jennifer Harman, non seulement la meilleure joueuse de poker du monde mais aussi une vraie bonne amie. Elle m'a appris énormément sur le poker et, plus particulièrement, comment devenir un jouer de poker professionnel.

De plus, merci au «Rat Pack», constitué de Phil Ivey, John Juanda et Allen Cunningham, pour avoir partagé avec moi leurs connaissances et m'avoir aidé à devenir le joueur que je suis aujourd'hui.

Je remercie aussi les merveilleux amis que j'ai découverts, au fil des ans, en jouant sur les circuits de poker. Cette communauté forme un groupe tissé serré et je me sens privilégié d'en faire partie.

J'espère que vous aurez autant de plaisir à lire ce livre que j'en ai eu à l'écrire.

Daniel

Dédié aux meilleurs parents qu'un enfant puisse avoir,
Ana et Constantin Negreanu

TABLE DES MATIÈRES

INTRODUCTION

Vous avez entre les mains un livre qui peut réellement contribuer à améliorer votre poker. J'y ai compilé cinquante de mes stratégies et pensées préférées au sujet de la partie de poker la plus populaire aujourd'hui, le Texas Hold'em.

Chaque partie est concise et contient des renseignements précieux qui vous aideront, peu importe votre niveau de jeu. Ce livre n'est pas une volumineuse encyclopédie du poker, mais bien un guide de référence amusant qui peut être lu et relu afin de garder frais à votre esprit les concepts de jeu importants.

Je suis d'abord un adepte de poker, ensuite un joueur. Au cours des dernières années, le poker a connu une croissance spectaculaire et jouit désormais d'une grande visibilité, en raison du nombre de partisans qui le regardent à la télévision ou qui le jouent sur Internet. L'image du poker, qui correspondait à un jeu louche, pratiqué dans des endroits miteux, disparaît rapidement. Certains le considèrent même maintenant comme un sport, un sport mental.

J'ai vraiment apprécié écrire ce livre car il m'a permis de redonner à un jeu que j'aime vraiment.

I.

Les dix plus grandes erreurs du débutant

Voici ma liste des dix plus grandes erreurs faites par des débutants à la table de poker. Si vous vous reconnaissez ici, il est temps de modifier votre jeu.

1. Trop de bluffs.

La plupart des néophytes ont regardé trop de films et sont convaincus que le poker ne consiste qu'à bluffer. Ils croient, en quelque sorte, susciter l'abandon de leurs adversaires en misant continuellement. Ce ne sera pas le cas : les joueurs identifient rapidement un bluffeur invétéré.

2. Manque de patience.

Jouer au poker engendre souvent de longues périodes d'attente avant d'obtenir de bonnes cartes. Les débutants n'ont habituellement pas la patience nécessaire et, pour tromper leur ennui, jouent des mains de départ qu'ils ne devraient pas. Ne perdez pas votre patience, trouvez-la.

3. Jouer au-dessus de ses moyens.

Rien n'est plus préjudiciable à votre confiance — et à votre budget — que le fait de miser des sommes que vous ne pouvez vous permettre de perdre. Il est impossible de prendre de bonnes décisions alors que vous vous demandez comment vous allez payer le loyer si la Dame de pique ne tombe pas sur la rivière. Il est très important de jouer avec un budget approprié à votre situation. Vous serez alors en mesure de vous concentrer sur le jeu sans vous préoccuper des implications financières.

4. Boire de l'alcool en jouant.

Vous devez avoir tous vos moyens afin de prendre les bonnes décisions à la table. Ce n'est pas une coïncidence si les casinos offrent des boissons alcoolisées gratuites aux clients. L'alcool affecte votre jugement et vous fera prendre des décisions que vous n'auriez pas prises, si vous aviez eu l'esprit plus clair.

5. Cesser de jouer lorsque vous êtes devant.

Désolé de briser votre rêve, mais il n'existe pas de système qui permette de déterminer s'il est temps de ramasser ses choses et de quitter la table. La pire stratégie de nombreux débutants consiste à quitter après de faibles gains et de continuer à jouer lorsqu'ils tirent de l'arrière. En fait, c'est exactement le contraire de ce qui devrait être fait.

Lorsque vous gagnez, vous détenez une présence puissante, à la table, que vous devriez exploiter. En revanche, quand vous perdez, cette image est ternie et elle peut influencer négativement votre confiance.

6. Jouer dans des parties de niveau élevé.

Les débutants, même si certains ne sont pas du tout de mauvais joueurs, se retrouvent souvent dans des parties où la compétition est tout simplement trop forte pour eux. Au lieu de jouer dans des parties où les limites sont moins élevées et contre des adversaires de leur calibre, ils préfèrent se frotter aux experts. Vous pouvez facilement deviner comment cela se termine.

7. Ego gonflé.

Non, vous n'êtes pas aussi bon que vous le croyez. En fait, vous en avez encore beaucoup à apprendre. Le jour où vous prendrez conscience que vous n'en savez pas assez sur le poker est celui où vous commencerez peut-être à apprendre une chose ou deux.

Généralement, les je-sais-tout détiennent peu de connaissances sur ce qui leur permettrait d'améliorer leur jeu. Il est très important d'être objectif, en ce qui a trait à ses aptitudes et à ce qui requiert des améliorations.

8. Jouer trop de mains.

Les débutants jouent généralement plus de mains qu'ils ne le devraient. En effet, ils ne saisissent pas l'importance d'une main de départ exceptionnelle dans les situations exceptionnelles. Lisez un livre ou deux avant de commencer à jouer et vous comprendrez pourquoi la main de départ 9-3 est faible et ce, que les cartes soient assorties ou non !

Avec toute l'information disponible de nos jours, il n'y a aucune raison de ne pas connaître les rudiments du poker.

9. Jouer sous l'effet de la colère.

Tout comme une machine à boules qui se fait secouer trop fort, un joueur débutant perdra souvent de sa contenance après quelques mauvaises mains consécutives. Un joueur dans cet état s'éloignera de son plan de jeu et poursuivra de mauvaises mains, comme des tirages par le ventre, même s'il sait qu'il ne devrait pas.

Et maintenant, roulement de tambour s'il vous plaît, l'erreur la plus souvent commise par les joueurs débutants.

10. Jouer trop longtemps.

Après de longues périodes passées à la table, le fonctionnement de votre cerveau n'est plus aussi efficace. Au lieu d'aller se reposer et de revenir frais et dispos le lendemain, la plupart des débutants jouent trop longtemps pour tenter de regagner leur argent. En fait, ils en perdent encore plus.

Votre tête vous jouera des tours après de nombreuses heures et il vous aurez souvent la conviction que vous jouez bien. Il y a de fortes chances que ce ne soit pas le cas.

II.

Les cinq raisons qui expliquent vos pertes au poker

J'ai déjà entendu une citation que je trouve géniale: «Le poker présente beaucoup de similitudes avec le sexe. Tout le monde pense qu'il est bon, mais la plupart des gens ne savent pas vraiment ce qu'ils font.»

En raison de cette vérité, les gens blâment souvent la malchance pour leurs revers. Même si elle peut certainement jouer un rôle, il existe probablement d'autres explications. Voici les cinq meilleures.

1. La malchance.

Si elle constitue votre plus grand problème, vous êtes chanceux! Pourquoi? Le poker est un jeu où la chance *joue* un rôle et la malchance peut expliquer vos pertes.

Cependant, plus longtemps vous jouerez *intelligemment* au poker, moins grand sera le risque que la malchance soit un facteur important. Comme tous les joueurs de poker, vous aurez vos mauvaises passes. N'agissez pas comme un idiot et ne créez pas votre propre malchance.

Si quelques sessions perdantes peuvent être considérées comme de la malchance, des mois de pertes sont habituellement causés par autre chose.

Voici une suggestion : classez vos résultats heure après heure. Examinez votre situation après 500 ou 1 000 heures de jeu. Si vous êtes toujours perdant, vous avez probablement un problème qui n'a rien à voir avec la malchance.

2. Un jeu trop prévisible.

Cela est particulièrement vrai si vous avez déjà gagné contre les mêmes joueurs et qu'ils vous battent maintenant régulièrement. Si vous avez une approche franche et directe du jeu, il se peut que vos adversaires aient saisi votre façon de jouer. Solution : élevez votre jeu en ajoutant quelques feintes à votre arsenal.

Par exemple, si vos adversaires savent que vous ne bluffez jamais, il est peut-être temps de sortir de votre coquille et de jouer d'une manière plus créative.

3. Des parties à niveau élevé.

Vous pouvez être le cinquième meilleur joueur de poker au monde, mais si vous jouez contre les quatre meilleurs, vous êtes le pigeon !

La sélection de la partie est aussi importante pour votre budget que votre façon de jouer. Laissez votre orgueil de côté, oubliez votre ego et posez-vous cette question difficile : « Mes adversaires sont-ils supérieurs ? » Si la réponse est oui, vous devez trouver une partie où les joueurs sont moins bons.

4. Manque de notions fondamentales.

C'est une raison qui cause beaucoup de pertes. Mais il y a une bonne nouvelle : apprendre la base du poker peut se faire aisément en lisant quelques bons livres et en élargissant votre champ de connaissances. De toute façon, cela ne peut pas nuire.

Si vous ne bénéficiez pas d'une bonne base pour prendre des décisions de poker, vous serez toujours un pas en arrière. Apprenez comment jouer correctement, en vous attardant sur la base. Après, amalgamez votre propre style.

5. Jouer sous l'effet de la colère.

Le facteur le plus significatif pour vos résultats généraux est la manière dont vous vous comporterez lorsque vous serez malchanceux. Plusieurs joueurs deviennent furieux, perdent leur calme et leur argent.

On ne peut éviter un ou deux bad beats occasionnels. À long terme, la différence entre les gagnants et les perdants est leur réaction face à la malchance. Il faut continuer à jouer selon son plan.

Vous ne devez jamais *pourchasser* votre argent. Vous ne devez pas non plus perdre patience et jouer des mains qu'il ne faut pas. Si vous êtes incapable de faire face au stress engendré par des bad beats, soyez assez intelligent pour abandonner tout de suite avant que les choses ne tournent mal. Rappelez-vous, il y a toujours un lendemain. Le poker ne disparaîtra pas.

III.

Conversation à la table de jeu

Il existe deux écoles de pensée quant à l'efficacité de cette stratégie de poker.

Les conversations à la table de jeu peuvent vous donner de l'information sur la main d'un adversaire, mais elles risquent aussi d'en donner trop sur la vôtre.

Cependant, si vous m'avez vu jouer à la télé, vous connaissez ma position à ce sujet. Je suis convaincu que, lorsqu'elle est utilisée convenablement, dans de bonnes circonstances et contre le bon adversaire, la conversation peut vous donner assez de renseignements pour en valoir le risque. Vous devez donc tenter d'obtenir de l'information sans en donner vous-même.

Voici mes sept règles pour avoir du succès en utilisant la conversation à la table :

1. Évitez la conversation à la table si vous êtes un débutant.

Si vous venez d'apprendre le jeu, ne vous laissez pas prendre dans une guerre psychologique avec des joueurs plus expérimentés que vous. En revanche, concentrez-vous sur des règles de base, comme la valeur de votre main et l'analyse de ce que vos adversaires peuvent avoir, avant de commencer à maîtriser l'art de converser à la table.

2. Évitez de parler aux joueurs experts.

Si vous êtes face à un expert, il y a de fortes chances qu'il puisse lire

à travers vos paroles et saisir la valeur de votre main avant même que vous n'obteniez de renseignements sur la sienne.

3. Choisissez vous-même le moment de parler.

Si un adversaire vous étudie, il vaut mieux demeurer immobile et fixer un point sur la table. Sauf si vous pensez être en mesure de manipuler un joueur et de lui faire faire exactement ce que vous voulez, restez calme.

Par contre, si vous étudiez un adversaire et qu'il est prêt à engager une conversation, essayez ceci : posez-lui une question anodine, comme «Comment sont les hivers à Phoenix?». Sa façon de répondre pourrait vous donner les indices recherchés pour évaluer la valeur de sa main.

4. Mêlez l'adversaire.

D'accord, mentir est un péché, mais tout est pardonné à la table de poker. Si les gens commencent à vous identifier comme un joueur qui dit toujours la vérité ou, au contraire, qui ment systématiquement au sujet de sa main, la conversation permettra de les guider dans la bonne direction.

Si vous voulez parler à la table, vous devrez apprendre à mentir sur le même ton, en utilisant les mêmes manières et en vous exprimant avec le même débit que lorsque vous dites la vérité. Si vous êtes incapable de le faire, je vous suggère de ne pas parler.

5. Éviter les modèles préétablis.

Je connais de très nombreux joueurs qui entretiennent une conversation et se referment comme une huître, lorsqu'ils bluffent. Ils continuent de converser lorsqu'ils ont la combinaison la plus forte (*nuts*), mais ils se taisent comme s'ils avaient une laryngite quand la situation devient critique.

Ne soyez pas un de ces joueurs. Si vous ne pouvez pas entretenir une conversation normale lorsque vous bluffez, ne parlez pas à la table. Vous risqueriez de donner beaucoup trop de renseignements à vos adversaires au sujet de votre main.

6. Ayez du plaisir et détendez-vous.

Si vous êtes détendu quand vous vous adressez à un adversaire, vous aurez plus de chances qu'il le soit aussi. Lorsque cela arrive, il est possible qu'il devienne moins conscient de l'information qu'il donne.

Laissez-le se détendre et prendre plaisir à parler avec vous, pendant que vous drainerez l'information en fonction de ses réactions. C'est cruel, je sais, mais très efficace.

7. Manipulez le faible.

Ce n'est pas très gentil, mais nous parlons ici de poker ! Les joueurs faibles devraient habituellement être ceux que vous tenterez d'exploiter lors d'une conversation à la table.

Disons, par exemple, que vous avez la *combinaison la plus forte* et que vous voulez que votre adversaire égale la mise. Cependant, vous voyez qu'il est sur le point de jeter ses cartes et d'abandonner. Faites ou dites quelque chose, *n'importe quoi*, pour qu'il reconsidère sa décision. Avant qu'il jette ses cartes, dites quelque chose comme : « Ouf ! Pendant un instant j'au cru que vous alliez égaler la mise. »

La fin justifie les moyens, n'est-ce pas ?

Une dernière chose : évitez toujours d'être brusque, vulgaire ou méchant. Ce n'est tout simplement pas nécessaire.

Contrairement à la croyance populaire, être désagréable à la table de jeu ne vous aidera pas. Généralement, les gens relâchent plus facilement les cordons de leur bourse quand ils ont du plaisir. Si vous provoquez leur mauvaise humeur, ils ne seront que plus difficiles à vaincre.

Résumé : les blagues valent mieux que les insultes.

IV.

Trois niveaux de poker

Il y a trois niveaux de pensée fondamentale lorsque l'on aborde une main de poker. Quand votre compréhension du poker évoluera et que vos aptitudes s'amélioreront, vous atteindrez les niveaux quatre, cinq, six, etc. Chaque stade, après les trois premiers, se répètera.

1. La première chose dont on doit se préoccuper est : « Qu'est-ce que j'ai ? »

C'est aussi simple que ça et c'est pourquoi il s'agit du premier niveau.

Comme débutant, vous devez être en mesure de regarder votre main, les cartes qui se trouvent sur la table et arriver à comprendre ce que vous avez et identifier les cartes qu'il vous faut. Vous devez ensuite tenir compte des probabilités selon lesquelles une de vos cartes pourrait apparaître sur la table.

2. Deuxième chose à penser : « Qu'ont mes adversaires ? »

C'est assez simple aussi et c'est le deuxième niveau.

Une fois que vous savez ce que vous avez, que ce soit une bonne ou une mauvaise main, le deuxième niveau consiste à savoir ce que vos adversaires ont ou n'ont pas.

Pour ce faire, vous devez vous concentrer sur les mises faites pendant ce tour et les tours précédents. Toute information sur l'historique de mise d'un adversaire pourra vous aider dans cette situation. Voici quelques autres éléments à considérer, avant même de vous concentrer

sur l'historique de mise : quelles cartes aiment-ils jouer, comment les jouent-ils habituellement, aiment-ils mieux jouer une paire d'As doucement ou en augmentant la mise, jouent-ils de façon agressive ou conservatrice lorsqu'ils occupent les premières positions ?

Les questions sont encore plus difficiles après le flop. Demandez-vous : est-ce qu'un adversaire miserait tant s'il n'avait qu'un tirage à la flush ? Un joueur aime-t-il tendre des pièges sur le flop pour ensuite faire un check-raise ?

Il y a tant de variables à considérer lorsque vous imaginez la main d'un adversaire. La meilleure manière est de se poser plusieurs questions. Consultez ensuite les réponses dans votre mémoire.

3. Le troisième principe de base à considérer est : «Que croient-ils que j'ai ?»

Voilà le troisième niveau, lequel dépend de l'image que vous projetez à la table, donc de la vision qu'ont de vous et de votre style de jeu les autres joueurs.

Rappelez-vous, pendant que vous tentez de savoir ce que détiennent vos adversaires, ils font de même pour vous.

Par exemple, s'ils ont été attentifs et vous ont vu bluffer plusieurs fois de suite, ils vous auront identifié comme un bluffeur et il vous sera plus difficile d'utiliser cette stratégie de nouveau.

En revanche, ils peuvent vous avoir identifié comme un joueur franc et faible qui ne bluffe jamais. Dans ce cas, un bluff bien placé pourrait très bien fonctionner. Comme vous savez qu'eux aussi vous ont étudié, tentez de tirer profit de l'image projetée à la table, chaque fois que l'occasion se présente.

Il est important de comprendre quelle image vous projetez à la table, mais il est essentiel d'enrichir votre mémoire, en étant attentif à tous les moments de la partie. Pour connaître le succès, dans une main, il est crucial de se souvenir des situations similaires qui se sont produites lors de mains précédentes et de la façon dont vous et vos adversaires aviez joué.

Disons que la dernière fois que vous avez eu la meilleure paire sur le flop, vous aviez effectué un check-raise et que, dans une autre main, vous aviez obtenu un tirage sur le flop et que vous aviez immédiatement misé. Maintenant, si vous obtenez la meilleure paire sur le flop, vous devez penser à ceci : si vous misez encore immédiatement, l'adversaire pensera-t-il que vous avez encore un tirage à la flush ou, au contraire, que vous utilisez une psychologie inverse ?

S'il est perspicace, il se peut que votre adversaire croie que votre mise signifie que vous avez un tirage. Cependant, il ne sait pas que vous avez puisé dans votre mémoire et que vous utilisez cette information contre lui.

Comme vous pouvez possiblement l'imaginer, à la suite de l'exemple précédent, il n'y a pas de fin au vieux jeu de « Je sais, que tu sais, que je sais, que tu sais ». En résumé, cela constitue votre introduction au quatrième niveau du poker : « Que pense-t-il que je pense qu'il a ? »

Ces niveaux se répètent indéfiniment et c'est à ce moment-là que le poker commence à ressembler à une partie d'échecs. Lorsque vous et votre adversaire en savez autant l'un sur l'autre et que cela vous oblige constamment à brouiller votre jeu, à utiliser la psychologie inverse et peut-être même la psychologie inverse-inverse, vous avez atteint un autre niveau.

Rappelez-vous simplement de toujours tenter d'être un pas devant vos adversaires, et tout ira bien.

V.

Que regardez-vous ?

Il est certain que vous avez entendu l'expression qui dit que vous devez avoir un visage impassible pour bien jouer au poker. Je vais vous confier aujourd'hui un petit secret. Le poker ne consiste pas à lire sur les visages, mais à lire les gens.

Quelle est la différence ?

Lorsque vous entendez l'expression «lire son adversaire», cela ne signifie pas nécessairement de surveiller son langage corporel. Plus souvent qu'autrement, les *signes* que vous devez rechercher proviennent de la façon de miser d'un adversaire.

Un célèbre joueur de poker prétend être en mesure de «lire dans votre esprit.» Non, il ne le peut pas. Croyez-moi. Certains professionnels veulent vous faire croire ce genre de chose car ils détiennent alors un avantage psychologique sur vous.

La vérité est qu'un joueur expert ne se concentre pas trop sur le langage corporel. En revanche, il tente de comprendre votre façon de penser en examinant les mains que vous jouez et votre manière de les jouer. Il ne recherche pas un pincement de narine subtil ou un clignement de l'œil pour prendre une décision. Il puise plutôt dans sa mémoire afin de comparer avec les mains précédentes.

Il se demande probablement : «Combien mon adversaire a-t-il misé la dernière fois qu'il bluffait ?» Ou encore : «Lorsqu'il obtient un brelan sur le flop, est-ce qu'il passe pour me tendre un piège ou bien mise-t-il immédiatement pour protéger sa main ?»

Donc, les signes physiques qui font les gorges chaudes des commentateurs de la télévision sont, la plupart du temps, de la bouillie pour les chats! Regardez-moi au petit écran et vous constaterez que j'arbore toujours de curieuses expressions faciales. Bonne chance si vous tentez d'en trouver la signification.

Lire les signes et lire les gens sont deux aptitudes distinctes qui sont pourtant souvent associées. Elles sont, toutefois, très différentes.

Lire les *signes* consiste à être en mesure de savoir si un joueur bluffe ou s'il dit la vérité, par l'apparence qu'il affiche. Lire les gens consiste à comprendre ce qu'ils pensent en se basant sur le plus de faits qu'il est possible d'amasser.

Comment lire les signes?

La première chose à faire est de simplement porter attention. Cela s'applique non seulement quand vous êtes dans la main, mais aussi lorsque vous avez abandonné et que vous attendez la prochaine. Étudiez vos adversaires et recherchez tout modèle de comportement qui pourrait vous être utile.

Par exemple, peut-être avez-vous vu un joueur se couvrir la bouche avec la main avant de faire une grosse mise. Après la main, vous vous rendez compte qu'il bluffait. Fait-il la même chose lorsqu'il a une forte main? S'il ne le fait pas, vous venez d'apercevoir un signe utile.

Plus vous exercerez votre aptitude à saisir des indices subtils, plus vous gagnerez de pots.

Comment lire les gens?

Voilà ce qui est important.

Le poker consiste surtout en un jeu qui se déroule entre des personnes. Comprendre la façon de penser d'un adversaire vous aidera énormément à obtenir un net avantage sur lui.

Afin de le faire, vous devez agir comme un détective, en réunissant les indices et en tentant de comprendre leur signification. Cela pourrait aller aussi loin que d'analyser la tenue vestimentaire de votre adversaire

afin de savoir ce qu'il pourrait bien faire dans la vie. Les gens révèlent involontairement beaucoup d'indices à leur sujet.

Voici une étude de cas :

Un homme au torse velu portant une chemise déboutonnée qui laisse voir de grosses chaînes en or s'assoit à côté de vous. Il dégage une mauvaise odeur, il empile sans retenue ses jetons et fume sans arrêt. Ses ongles sont sales et il n'arrête pas de remuer ses genoux.

Dès le départ, vous en savez beaucoup sur cette personne puisque vous vous êtes déjà demandé : est-il le genre de joueur à être patient, effrayé et conservateur ou impatient, téméraire et agressif ?

Si vous avez choisi la première option, vous devriez peut-être opter pour un autre hobby comme les dames, par exemple.

Pour plus d'indices, poursuivez en lui posant une question. «Que faites-vous dans la vie ?» en est une bonne.

S'il vous dit qu'il est avocat, vous savez en qui ne pas avoir confiance, n'est-ce pas ?

S'il déclare qu'il enseigne les mathématiques, il y a de fortes chances que ses capacités d'analyse soient bonnes.

Si, par contre, il répond qu'il donne des leçons à l'école du dimanche, il y a fort à parier qu'il ne sera pas à l'aise de mentir. Il se peut aussi qu'il vienne de dire son premier mensonge.

En résumé, lire les signes et les gens sont deux vraies aptitudes et elles forment une combinaison mortelle lorsqu'elles sont réunies.

VI.

Les frappeurs de circuits par opposition aux joueurs de *small ball*

Toute personne qui connaît un peu mon approche du Hold'em limite sait que je préfère la théorie du *small ball* à celle, plus risquée, du tapis.

La théorie du *small ball*, en relation avec le poker, consiste à travailler constamment, à être agressif, mais à ne pas se fier sur le gros coup de circuit pour venir sauver la situation. L'approche du *small ball*, dans un tournoi, permet d'augmenter petit à petit votre total de jetons, tout en tentant d'éviter les gros risques dans les situations peu profitables.

Avant de poursuivre, je dois ajouter cet avertissement : la technique du *small ball* est une stratégie très avancée qui ne devrait être utilisée que par des joueurs qui possèdent beaucoup d'expérience.

Cette technique est en effet étroitement liée à la capacité de lire les mains. De plus, elle requiert une participation à de nombreuses mains. On se retrouve donc souvent confronté à des décisions plus difficiles.

Phil Ivey, Phil Hellmuth, Michael «The Grinder» Mizrachi, Erick Lindgren, Gus Hansen, quelques-uns des autres joueurs de haut niveau et moi-même, utilisons tous cette approche. Ce n'est pas une coïncidence.

Étrangement, le conseil que je donne aux débutants au sujet de la théorie du *small ball* se situe complètement à l'opposé de celui que je donne aux joueurs avancés.

Les débutants devraient opter pour l'approche du frappeur de circuits en misant fort tous leurs jetons, lorsque nécessaire. Si ce n'est pas

la meilleure stratégie à long terme, elle permet de neutraliser l'avantage qu'un meilleur joueur aura sur eux.

Pensez-y deux minutes.

Lorsque le débutant mise son tapis à chaque main, il empêche le joueur expérimenté de jouer. L'expert du *small ball* veut voir le plus de flops possible sans trop payer, pour battre ensuite le débutant après le flop, en jouant mieux que lui. La stratégie qui consiste à miser tous ses jetons enlève cet avantage à l'expert et il devient alors un simple joueur qui attend une bonne main pour jouer, comme les autres.

Par contre, je ne vous suggère pas de perdre la tête en misant toujours votre tapis. De fortes relances font aussi souvent l'affaire.

La règle à suivre, pour le joueur débutant devrait être de tenter d'augmenter fortement la mise avant le flop. Lorsque les blinds sont de 400 $-800 $, avec un ante de 100 $, le frappeur de circuits devrait augmenter la mise à 4 000 $. Il n'y a aucune bonne raison de changer le montant de l'augmentation en fonction de vos cartes en main. En fait, en augmentant du même montant avec une paire d'As ou As-10 en main, vous donnez moins de renseignements à vos adversaires.

À l'opposé, un vétéran du *small ball* augmenterait la mise à environ trois fois le montant du gros blind. Donc, à une table de neufs joueurs, avec 2 100 $ pour les blinds et l'ante, l'expert augmenterait la mise d'environ 2 000 $ ou 2 400 $.

Pendant que le débutant risquerait 4 000 $ pour gagner 2 100 $ (avec des chances de presque deux contre un sur la main), le joueur de *small ball* obtiendrait une bien plus grande valeur (environ un montant égal).

Autre chose à analyser, le frappeur de circuits n'aura pas autant d'action que le joueur de *small ball*. Contre le premier, le gros blind aurait à ajouter 3 200 $ additionnels pour voir le flop; contre le deuxième, il ne devrait peut-être débourser que 1 200 $. Il aurait alors des chances de trois contre un.

Voilà pourquoi le style du frappeur de puissance est beaucoup plus facile à jouer. Il y a beaucoup moins de décisions à prendre après le flop. Les joueurs de *small ball*, cependant, veulent absolument voir

beaucoup de flops afin de forcer leurs adversaires à prendre des décisions difficiles.

Les meilleurs joueurs de *small ball* donnent au poker l'allure d'un chaos contrôlé. Ils sont volontairement impliqués dans chaque main et tiennent toujours leurs adversaires sur les talons.

On peut utiliser une autre analogie sportive pour décrire ces deux styles, en employant la boxe. Le joueur de *small ball* lancera continuellement des jabs, tout en conservant sa garde haute. Son but est d'attendre que son adversaire fasse une erreur et découvre son menton.

C'est alors qu'il l'atteindra d'un solide *uppercut*!

VII.

<u>Dévoiler ou non ? Telle est la question</u>

Il existe deux écoles de pensée lorsqu'il s'agit de décider s'il faut dévoiler ses cartes alors que tous les autres ont abandonné et que la main est terminée. Pourquoi le faire ? Pourquoi donner à vos adversaires des renseignements supplémentaires alors qu'ils n'ont pas payé pour les obtenir ?

Même si je comprends et que je respecte entièrement cette stratégie, je crois qu'il existe des situations où il est avantageux de dévoiler ses cartes. Lorsque vous me verrez jouer au poker à la télévision, vous remarquerez que je le fais souvent. Bien sûr, je ne le fais pas au hasard. Ma décision est calculée et elle est conçue pour me donner un avantage que j'utiliserai plus tard dans la partie.

Pensez-y : je sème des graines que je pourrai récolter plus tard. Vous devriez songer à faire un peu de jardinage vous aussi.

Voici comment le fait de montrer vos cartes peut vous aider, particulièrement contre des joueurs débutants.

1. Dévoiler un bluff.

Révéler votre main après un bluff qui a incité vos adversaires à abandonner peut améliorer l'image que vous projetez à la table.

Les mauvais joueurs ont tendance à garder longtemps leurs souvenirs en tête. En ne montrant qu'un seul de vos bluffs, ils pourraient conclure que vous tentez *toujours* de voler les pots. Plus tard dans la partie, lorsque vous aurez la meilleure main, ils égaleront votre mise plus souvent qu'ils ne le devraient.

2. Dévoiler une forte main.

Il y a deux manières de profiter de cette situation. Si vous affrontez un faible joueur, le fait de lui montrer que vous avez misé avec une forte main vous permettra de le bousculer pendant le reste de la soirée. Vous lui aurez mis en tête que, lorsque vous misez, c'est parce que vous avez de belles cartes, et ce, même si ce n'est pas le cas.

L'autre avantage issu du fait de révéler une bonne main est que cela vous permettra peut-être de vous débarrasser d'un joueur agressif. Ces derniers sont les plus difficiles à affronter et, franchement, vous ne voulez pas qu'ils vous attaquent.

Un joueur de ce type ne sera pas porté à attaquer s'il a la preuve que vous ne bluffiez pas lorsque vous avez augmenté sa mise auparavant. Faire d'un joueur agressif son ami, en révélant votre main, peut servir à la dompter.

Vous connaissez le dicton : « Gardez vos amis près de vous et vos ennemis encore plus près ».

3. Pour préparer un jeu.

Révéler une main peut être bénéfique chaque fois que vous faites un jeu qui ne vous est pas habituel. Disons, par exemple, que, dans une partie de Hold'em limite, vous augmentez généralement la mise lorsque vous avez la meilleure paire. Cette fois, vous n'avez fait qu'égaler la mise de votre adversaire sur le flop pour ensuite l'augmenter sur le tournant alors qu'une carte qui ne représentait pas de danger est tombée.

Si votre adversaire abandonne, vous pouvez montrer votre main afin de lui faire croire que vous faites souvent ce jeu. Plus tard, lorsque vous ne ferez qu'égaler la mise sur le flop, il pourrait croire que vous allez l'augmenter sur le tournant.

À l'inverse, si vous augmentez sur le flop, il pourrait croire que vous n'avez qu'un tirage, en raison de votre historique, qui suggère que vous augmentez toujours sur le tournant lorsque vous avez la meilleure paire.

Voici une règle très importante : ne vous engagez pas dans une telle guerre psychologique si vous êtes un joueur débutant. En fait, vous ne devriez jamais révéler votre main si vous n'y êtes pas forcé.

Dernier conseil : ne montrez pas vos cartes lorsque vous affrontez des joueurs de haut niveau. Il est beaucoup plus efficace de le faire contre des joueurs qui peuvent être facilement manipulés.

Le fait de montrer ou non ses cartes sera toujours un sujet de débat parmi les joueurs d'élite. Selon moi, montrer sa main à un faible adversaire peut souvent constituer une tactique efficace et profitable.

VIII.

Battre un joueur faible

Si quelqu'un vous considère comme un joueur faible, vous avez des ennuis. Vous devrez rapidement modifier votre jeu afin de vous débarrasser de cette réputation.

Si vous voulez gagner à la table de poker, concentrez-vous sur les faibles joueurs. Au lieu d'affronter ceux qui sont forts et agressifs, vous risquerez moins et gagnerez plus à long terme en jouant contre des joueurs timides et passifs.

Afin d'être en mesure de battre les joueurs fragiles, vous devez d'abord les identifier. Il existe généralement quelques indices que vous pouvez rechercher, même s'ils ne sont pas toujours précis.

1. La tenue vestimentaire

Un joueur qui s'habille de façon conservatrice jouera généralement de la même manière. S'il a un style flamboyant, il y a de fortes chances que son jeu soit agressif.

2. La façon de parler

Cela s'accorde avec le premier indice. Si un joueur est discret ou timide dans sa façon de parler, il y a fort à parier que son jeu sera similaire. À l'inverse, si vous avez affaire à un grand parleur exubérant ou surexcité, il sera probablement un joueur agressif.

3. Avant le flop, augmente-t-il ou ne fait-il qu'égaler la mise ?

S'il ne fait que suivre avant le flop sur une base régulière, vous avez peut-être affaire à un joueur faible.

4. Aime-t-il miser ou passer et égaler ?

Un jouer agressif aime miser alors qu'un joueur faible a tendance à passer et à égaler les mises.

Après avoir identifié les joueurs faibles de la table, il est temps d'user de stratégie contre eux. Ce sont, sans aucun doute, les joueurs les plus faciles à affronter. En fait, vos cartes sont souvent sans importance : les joueurs inférieurs sont tellement prévisibles.

La clé ici est de le frapper sans pitié ! Faites-le à répétition, comme la brute de l'école qui vole l'argent du dîner des plus faibles, jusqu'à ce qu'ils se défendent. S'ils ne le font pas, continuez.

Personne n'a dit qu'il y avait une justice au poker.

Lorsque vous avez une position avantageuse, face à un joueur inefficace, cela rend les choses encore plus aisées. Ce que vous cherchez, c'est de vous retrouver autant que possible en situation de tête-à-tête contre les joueurs faibles.

Comment procéder ? Lorsque le joueur fragile suit dans un pot, vous tentez de l'isoler en effectuant une augmentation substantielle, qui suscitera probablement l'abandon des autres. Il ne restera que le joueur timide. Il est maintenant là où vous le vouliez. Si le joueur est très faible, le fait de n'avoir en main que 7-2 n'est pas bien grave.

De toute manière, vous ne jouez pas votre main, vous jouez le joueur.

Si vous êtes en mesure d'être en tête-à-tête final avec le joueur faible et que vous bénéficiez d'une bonne position, laissez ses actions (ou l'absence d'actions) dicter votre conduite. S'il mise avant le flop, vous êtes presque assuré qu'il a une bonne main. Si le flop ne vous donne pas une très bonne main, ce serait le moment d'abandonner. Même si vous jouez le joueur, vous ne pouvez pas ignorer complètement sa mise.

S'il passe sur le flop, vous devriez miser, peu importe vos cartes. Si, cependant, votre faible adversaire fait un check-raise, fuyez! Sauf si, bien sûr, le flop vous donne une bonne main. Le seul moment où vous voulez passer est lorsque le flop vous donne la combinaison la plus forte et que vous voulez lui donner une carte gratuite. Autrement, vous devriez toujours miser sur le flop et tenter de remporter le pot à ce moment-là.

La décision difficile survient lorsque le joueur fragile ne fait qu'égaler, ce qui arrivera souvent. À cette étape, vous devrez décider si l'adversaire a obtenu du flop un tirage ou une main déjà faite.

Parce que votre adversaire est faible, il ne vous donnera pas beaucoup de renseignements sur sa main par sa façon de la jouer. Généralement, un joueur faible va passer et égaler avec une main faite (comme la meilleure paire) ou un tirage à la flush.

La règle suggère d'être prudent si un joueur timide égale votre mise sur le flop. Si vous avez une bonne main, misez. Mais si vous bluffez, pensez peut-être à passer sur le tournant, le faible joueur ayant démontré de l'intérêt.

Il existe un vieil adage au poker qui résume ce dernier point : «Si vous bluffez un mauvais joueur, vous en devenez un.» Restez agressif face aux joueurs faibles, mais ne vous faites pas prendre lorsqu'ils démontrent de l'intérêt à la suite du flop.

IX.

Intimider un grossier personnage

Il peut être extrêmement frustrant d'avoir à votre table un joueur très agressif qui semble ne pas vouloir vous lâcher. Peu importe ce que vous faites, cette brute ne cesse de vous attaquer. C'est encore plus choquant lorsque vous n'obtenez pas de bonnes cartes.

Heureusement, après avoir lu ceci, vous aurez les outils pour vous en sortir et contre-attaquer. Si vous en connaissez un peu sur ce genre de personnage, vous savez que, lorsqu'on lui fait face, il se sauve en courant, habituellement.

Laissez-le filer, mais volez-lui d'abord ses jetons.

Pour ce faire, vous devez comprendre la plus grande faiblesse de ces individus. Ils aiment jouer plusieurs mains et, lorsqu'ils le font, c'est de façon agressive. Tôt ou tard, ils franchiront la limite qui sépare le bon jeu solide et agressif du jeu sauvage et du bluff à outrance.

Vous devez exploiter cette agressivité et la tourner en votre faveur.

Lorsque vous sentez que cet intimidateur est en train de franchir cette limite, inspirez profondément et donnez-lui autant de corde qu'il lui en faut pour se pendre. Par cela, je veux dire que vous devez le piéger avec vos bonnes mains en le laissant bluffer pour remporter son argent. Il existe une expression de poker pour décrire cela : «*collectionner des balles*».

C'est une excellente stratégie pour vous débarrasser d'un tyran. Essayez de sous-jouer pour piéger votre adversaire. Cette tactique passive et adroite vous permettra de remporter des pots face à une brute. Si vous aviez misé, il aurait probablement abandonné la main.

Rappelez-vous, un barbare cherche à attaquer lorsqu'il perçoit de la faiblesse, comme c'était le cas à la petite école. À cette époque, vous deviez éventuellement faire face au tyran afin qu'il vous laisse tranquille. Au poker, par contre, vous devez lui laisser croire qu'il pourra vous tourmenter toute la journée. Donc, lorsque vous avez une excellente main, vous souhaitez ardemment qu'il vous attaque. Laissez-le faire les mises à votre place.

Comme un de mes amis et professionnel de poker, Layne Flack, dirait : «Pourquoi pousser, alors que l'âne tire ? »

Il est très importan — et financièrement avantageux — de reconnaître les situations où le jeu prudent et les *checks* vous rapporteront plus que les mises. La brute qui mise lorsque vous passez, mais qui abandonne lorsque vous misez, est la cible parfaite pour cette stratégie.

Cependant, je ne veux pas vous laisser avec une seule arme contre les tyrans car vous finirez à l'abattoir. Il y a plus. Parfois, vous ne voulez pas avoir l'air d'une victime facile en laissant ce grossier personnage faire son spectacle. Le conseil que je vous ai donné fonctionne mieux lorsque votre adversaire a position sur vous pendant toute la main.

Par contre, lorsque vous avez position sur lui, il est alors temps de vous lever et de lui montrer qui est le patron.

Lorsque vous êtes en position, ce qui signifie que vous êtes assis à la gauche de la brute, soyez comme une épine dans ses côtes en augmentant et en augmentant de nouveau afin de prendre contrôle de la main. Il n'aura habituellement pas une main assez forte pour poursuivre et il abandonnera.

Voici le concept clé à maîtriser : faites toujours réfléchir la brute deux fois s'il veut tenter de voler les blinds. Vous devez lui faire croire qu'il pourrait se frotter à une scie circulaire à tout moment — et cette scie, c'est vous ! Après avoir calmé cet adversaire agressif, vous aurez alors la chance de devenir l'intimidateur.

Parce que vous êtes maintenant le tyran, vos adversaires vous craindront et ils ne voudront pas vous affronter trop souvent. Prenez avantage de la situation en volant leurs blinds. Si les autres joueurs ne

veulent pas vous remettre à votre place, continuez d'être l'agresseur et faites-les payer jusqu'à ce qu'ils en aient assez.

Dernière pensée : une fois devenu le tyran, faites attention aux joueurs motivés qui tenteront de vous abattre. Intimider ou être intimidé, les deux rôles sont dangereux.

X.

<u>La règle des cinq fois</u>

Je tiens pour acquis que la plupart des lecteurs de ce livre sont des joueurs de poker débutants ou novices. Si c'est le cas, le conseil qui suit, lequel s'applique au Texas Hold'em sans limite, sera parfait pour vous.

Il existe plusieurs livres sur le poker qui donnent les mains de départ avec lesquelles vous devriez jouer dans les tournois. Cependant, il n'y a pas assez de conseils sur la façon de miser et sur le montant à miser avec ces mains.

Donc, j'aimerais vous initier à la règle des cinq fois le blind. C'est presque aussi simple que ça en a l'air.

Vous devriez augmenter de cinq fois la valeur du gros blind, peu importe le montant. Si les blinds sont 25 $-50 $ et que vous êtes le premier à agir, vous devriez augmenter à 250 $ si vous décidez de jouer la main. Cela vous donnera une chance de vraiment protéger votre main en faisant payer un gros prix à vos adversaires qui veulent voir le flop.

Étrangement, je recommanderais exactement le contraire à un joueur avancé.

Pour ce dernier, je conseillerais d'augmenter de deux fois et demi à trois fois la valeur du gros blind. Pourquoi? C'est simple. Un joueur plus avancé prendra de meilleures décisions après le flop qu'un novice. Donc, en tant que débutant, vous voulez voir moins de flops pour cette même raison.

Tentez de ne pas laisser un joueur plus expérimenté se rendre au flop car ses meilleures aptitudes auront alors un rôle à jouer. Votre

avantage, en tant que recrue, est de débuter avec de meilleures mains et de miser plus agressivement avant le flop.

Maintenant, que faire si un joueur avant vous a déjà égalé la mise du gros blind ? La règle des cinq fois devient alors la règle des *sept fois*. Si un joueur mise 50 $, vous voulez que le prix demandé pour voir le flop soit encore plus élevé, soit 350 $. Ce système a des failles, mais il permettra aux joueurs moins expérimentés de ne pas avoir à prendre trop de décisions complexes après le flop.

Rappelez-vous du principe suivant : si une main ne vaut pas une augmentation, vous devriez abandonner.

Augmenter ou abandonner est la meilleure approche pour un nouveau joueur. Alors, que devriez-vous faire si un joueur a déjà augmenté avant vous ?

Si les blinds sont, par exemple, de 50 $-100 $ et qu'un joueur augmente la mise à 300 $, vous devriez utiliser la règle des cinq fois. Par contre, dans ce cas, vous allez augmenter de cinq fois la dernière mise. Donc, cinq fois 300 $ donne 1 500 $ et c'est ce que je vous conseillerais.

Cette stratégie peut sembler un peu trop agressive, mais je peux vous assurer que cela donnera de meilleures chances de succès au débutant. Lorsque votre jeu s'améliorera et que vous serez plus en mesure de prendre de bonnes décisions après le flop, vous pourrez faire de plus petites augmentations avant le flop et commencer à miser environ trois fois le blind.

Il y a une dernière règle que j'aimerais partager avec vous et elle se rapporte aux mises avant le flop dans les tournois. Elle s'appelle la *règle du 30 p. cent.*

Si votre augmentation de cinq fois le blind constitue plus de 30 p. cent de votre total de jetons, misez votre tapis.

C'est une des armes les plus mortelles de votre arsenal car il très difficile de se défendre contre elle. Pour que vos adversaires égalent une telle mise, ils devront posséder une main de choix comme A-A, R-R ou A-R. Comme vous avez déjà pris votre décision, ils ne peuvent pas vous battre en jouant.

Il est important de prendre note que ces règles ne constituent pas nécessairement la stratégie optimale, mais elles donneront au débutant la chance d'aller plus loin dans les tournois et de, peut-être, empocher de l'argent. Ce n'est certainement pas de cette façon que je jouerais en tant que joueur professionnel, mais c'est un style qui me demanderait des ajustements si j'y étais confronté.

Cette stratégie oblige le professionnel à plus compter sur la chance des cartes et, en tant que novice, c'est exactement ce que vous souhaitez.

XI.

Le jeu agressif par opposition au jeu conservateur

Je voudrais dès maintenant faire une mise au point : si vous voulez gagner beaucoup d'argent dans les tournois de poker, vous allez devoir jouer agressivement. Ce n'est pas une coïncidence si tous les joueurs qui remportent des millions de dollars à la télévision ont un point en commun : l'agressivité.

Que veut-on dire exactement lorsque l'on parle d'agressivité à la table de poker ? L'idée est de repousser les limites, de se battre pour plusieurs pots et d'être actif dans la partie.

La stratégie opposée consiste à rester tranquille, à attendre les mains de choix et à espérer que quelqu'un vous suive lorsque vous jouez. Cette stratégie conservatrice pose plusieurs problèmes.

1. Vous ne recevrez pas assez de mains de choix pour vous renflouer.

Dans les tournois de Hold'em sans limite, les blinds et les antes vont toujours en augmentant et cela vous obligera à courir des risques. Si vous ne faites qu'attendre des mains comme A-A ou A-R, vous vous dirigez directement vers l'échafaud !

2. Vous devenez trop prévisible.

Si les autres joueurs d'aperçoivent que vous ne jouez pas beaucoup de mains, ils sauront que vous avez une excellente main si vous poursuivez. Donc, s'ils ont de faibles mains, vous n'obtiendrez pas l'action souhaitée.

3. Personne ne vous craindra.

Si vos adversaires s'aperçoivent que vous êtes conservateur, ils vont attaquer vos blinds à répétition en sachant que vous n'égalerez que si vous avez une bonne main. Ce n'est pas l'image voulue. Vous préférez être considéré comme une petite peste qui ne laisse pas les autres respirer.

La clé, pour avoir du succès en jouant agressivement, est de le faire de manière sélective. Se lancer à l'aveuglette avec une approche agressive peut être considéré comme de l'imprudence. En fait, laissez-moi vous initier à une nouvelle expression : l'agression prudente. Même si ces deux mots semblent être en opposition, ils ne le sont pas. Voici comment un joueur agressif et prudent aborde le jeu sans limite.

Ce type de joueur augmentera plus souvent qu'à son tour. Premièrement, il cherche à voler les blinds. Deuxièmement, il veut remporter le pot sur le flop. Finalement, il espère avoir une bonne main. Si ses adversaires lui offrent de la résistance, il se couvrira en abandonnant, sauf s'il possède une main très forte.

Si vous y pensez en termes de boxe, un joueur agressif et prudent lancera plusieurs jabs, mais il protégera toujours son menton. Il ne cesse d'employer son jab tout en évitant les coups de son adversaire. Lorsque son adversaire fait une faute et laisse son menton ouvert, le joueur agressif et prudent l'enverra au tapis d'un seul coup.

A priori, cela peut ressembler à une approche brutale et chaotique, mais en fait, elle provient de règles mathématiques de base. Laissez-moi vous expliquer.

À une table de neufs joueurs, les blinds sont de 400 $-800 $ et l'ante de 100 $. Il y a déjà 2 100 $ dans le pot (400 $ du petit blind, 800 $ du gros blind et 900 $ d'antes). Un joueur agressif peut décider d'augmenter la mise à 2 000 $. Il remportera 2 100 $ après avoir risqué 2 000 $ si tout le monde abandonne.

Nous savons qu'au Hold'em, il est très difficile d'avoir une main de départ de choix. Si le joueur agressif affronte plusieurs joueurs conservateurs, il volera les blinds plus de la moitié du temps.

Mais qu'arrive-t-il lorsque cela ne fonctionne pas ?

Si un adversaire égale sa mise, le joueur agressif doit maintenant être prudent. De plus, si le joueur conservateur augmente lui aussi, l'adversaire agressif et prudent doit s'ajuster pour minimiser ses pertes. Il doit donc abandonner cette main et tenter de se sauver avec le prochain pot.

Cela ne s'applique pas, bien sûr, si le joueur agressif possède une main de choix. Dans ce cas, il obtient une chance de donner le coup de grâce. Parce qu'il joue tellement de mains, le joueur agressif a plus de chance d'avoir de l'action, même lorsqu'il a la combinaison la plus forte. Donc, c'est jab-jab-jab, esquive et protection, puis le coup de grâce.

Personne n'aime jouer contre un joueur agressif et ce n'est pas pour rien. Il est difficile à lire et fait toujours pression sur vous. Pourquoi ne pas être ce joueur ? Pourquoi ne pas être celui qui bouscule tout le monde ? Après tout, vous êtes là pour gagner.

La mise mortelle du tapis (*all-in*)

L'une des choses que les téléspectateurs préfèrent, dans les tournois de Texas Hold'em, c'est l'aspect «tout ou rien» de la partie. C'est une bataille au sein de laquelle le joueur, à tout moment, peut décider de tout risquer sur une seule carte.

La mise du tapis est certainement stimulante, mais elle représente aussi une arme mortelle, surtout dans les tournois de poker où les blinds augmentent rapidement. Bien utilisée, cette mise peut avoir un effet neutralisant sur les meilleurs joueurs au monde. En fait, si vous vous retrouviez face à des champions, tels que Johnny Chan ou Phil Ivey, elle serait peut-être votre seul espoir.

Voici pourquoi cela fonctionne.

Seules les bonnes mains peuvent égaler la mise.

Lorsque vous misez tous vos jetons, les adversaires doivent avoir une main de choix pour pouvoir égaler la mise. Quand tous vos jetons sont dans le pot, les autres joueurs ne peuvent vous battre en jouant car leur processus décisionnel vient de prendre fin.

Si vous êtes un joueur novice, la dernière chose que vous voulez est de vous retrouver dans une situation difficile après le flop, contre un joueur supérieur. Donc, tentez le grand coup avant le flop afin de transformer un requin de réputation mondiale en un autre joueur ordinaire qui attend une excellente main.

Pendant qu'il patiente, vous remporterez de précieux blinds et

49

antes.

Même lorsque vous vous faites prendre, vous pouvez gagner.

La deuxième raison qui explique la grande efficacité de la mise du tapis est le fait que, même si vous êtes pris la main dans le jarre à biscuits, vous pouvez tout de même remporter le pot.

Disons que vous misez votre tapis avec une piètre main, comme A♥6♦. Le gros blind a une main de R♠R♣ et il égale la mise. Vous êtes évidemment dans une situation difficile, mais ce n'est pas aussi grave que vous pourriez le croire. Vous allez réussir à vaincre la paire de Rois et à remporter le pot 28 p. cent du temps.

Maintenant, si les joueurs dans les positions de blinds sont excellents et qu'ils attendent d'avoir une paire élevée avant de vous affronter, vous avez un très haut pourcentage de chances de voler les blinds. Et, si vous ajoutez le taux de succès que votre main détient, pour battre au tirage un adversaire qui égale votre mise, le choix de miser tous vos jetons s'avère efficace dans la plupart des situations.

Les mathématiques sont de votre côté.

Dans le poker de tournoi, la partie est jouée avec des blinds et des antes. Remporter une main où personne n'a égalé la mise constitue souvent un excellent résultat et une bonne manière de remporter des jetons, sans courir de risque.

Disons, par exemple, que les blinds sont 200 $-400 $, avec huit joueurs qui ont payé chacun un ante de 50 $. Il y a 1 000 $ dans le pot. Tout le monde abandonne après votre mise. Vous aviez en main A♠3♣ sur le bouton et il vous reste 10 000 $.

Si vous misez votre tapis et que personne n'égale, vous avez augmenté votre total de jetons de 10 p. cent simplement en ayant le courage de tout risquer.

Même si vos adversaires bénéficient de 10 p. cent de chances d'avoir une meilleure main et qu'ils égalent votre mise, le jeu serait profitable à long terme.

Pourquoi ? Comme je l'ai expliqué auparavant, même une main comme A-6 battra une paire de Rois presque une fois sur trois.

Donc, neuf fois sur dix, vous allez vous retrouver avec 11 000 $ en jetons en gagnant les blinds et les antes. Une fois sur dix, vous aurez fini pour la journée, ou bien chanceux et plus riche de 20 400 $.

Cependant, rappelez-vous qu'il ne s'agit pas d'un système à toute épreuve et que ce n'est pas la meilleure stratégie pour un professionnel de haut niveau. Par contre, c'est le meilleur moyen pour permettre à un débutant de neutraliser les aptitudes supérieures d'un professionnel.

Dernier point : si vous songez à miser tous vos jetons, il est très important d'en analyser le total en relation avec les blinds. Plus la différence est grande, moins efficace sera la stratégie.

Disons que, pour l'exemple précédent, vous avez un total de jetons de 100 000 $ au lieu de 10 000 $. Miser votre tapis avec une mauvaise main ne constitue plus une bonne stratégie, même pour un débutant. Risquer 100 000 $ et votre participation au tournoi pour tenter de gagner 1 000 $ n'en vaut pas le coup.

XIII.

Les principes de base de la mise : quand le moins vaut le plus

Il y a des situations au Texas Hold'em sans limite où une plus petite mise vous rapportera plus. Plus précisément, il y a des fois où une mise, égale à la moitié du pot, vous donnera autant de renseignements qu'une mise égale à la valeur du pot.

Il s'agit d'un concept relativement simple, surtout pour les joueurs de haut niveau. Cependant, c'est une stratégie que plusieurs joueurs novices ou moyens n'ont pas encore saisie complètement.

Prenons un exemple pour clarifier ce point. Supposons que vous jouez au Hold'em sans limite et que vous avez augmenté avant le flop avec A-10 en main. Seul le joueur à la position de gros blind a égalé votre mise. Vous vous retrouvez donc en situation de tête-à-tête final pour un pot de 700 $.

Le flop est de R♣8♠4♦. Le gros blind passe. Vous décidez de miser dans l'espoir que votre adversaire manque le flop et qu'il abandonne. La question qui se pose alors est : combien devez-vous miser ?

Si vous misez la valeur du pot, 700 $, vous allez certainement savoir si l'autre joueur veut vraiment poursuivre la main. S'il égale cette mise, il y a fort à parier qu'il a une meilleure main qu'As haut.

Nous savons qu'il est possible d'obtenir de l'information avec une mise de 700 $, mais il faut maintenant se demander s'il est vraiment nécessaire de risquer 700 $ pour l'obtenir ? Le résultat serait-il différent si vous aviez misé, disons, 450 $?

Probablement pas. Une mise équivalente à la valeur du pot et une mise correspondant à la moitié donneront à peu près les mêmes résultats. Cependant, la plus petite mise constitue souvent un meilleur choix et ce, pour plusieurs raisons :

1. Lorsque vous bluffez, vous risquerez moins de jetons si vous vous faites prendre.

Rappelez-vous, lorsque vous tentez de vous sauver avec le pot, des mises équivalentes à la moitié, aux trois-quarts ou à la totalité du montant du pot vous donneront toutes des renseignements suffisants pour savoir si votre adversaire a apprécié le flop.

Dans une telle situation, pourquoi donc prendre le risque de miser la valeur du pot alors qu'une mise plus petite permettra d'atteindre le même objectif ?

2. Lorsque vous avez une bonne main et que vous voulez que vos adversaires poursuivent avec des mains plus faibles, il y a plus de chances qu'ils égalent une mise représentant la moitié de la valeur du pot qu'une mise égale au montant du pot.

Si vous avez une main puissante et que vous recherchez de l'action, miser la moitié du pot fera poursuivre plus de joueurs et c'est exactement ce que vous voulez.

3. Les mathématiques sont de votre côté.

Presque chaque situation de poker peut être ramenée à une simple formule mathématique. S'il y a 600 $ dans le pot et que vous misez 600 $, vous recevrez la même somme pour votre proposition. Cela signifie que, à long terme, vous devrez remporter le pot une fois sur deux pour que cela soit profitable. (Note : il y a d'autre facteurs qui entrent en ligne de compte pour les deux prochaines cartes, mais ignorons-les dans cet exemple.)

Si vous prenez en considération le fait que la main va probablement se jouer de la même manière avec une mise de 400 $, vous pouvez

constater que, mathématiquement, il est souvent préférable de choisir la petite mise.

Si vous misez 400 $, vous risquez 400 $ pour remporter 600 $, ce qui donne des chances de trois contre deux au lieu de un contre un. La petite mise aura, pour ainsi dire, les mêmes résultats que la plus substantielle, mais vous n'aurez à débourser que quatre fois sur dix au lieu cinq, si vous miser un montant qui correspond à la valeur du pot.

Vous verrez rarement un professionnel miser la valeur du pot lors des parties télévisées. Leurs mises correspondent généralement au tiers, à la moitié ou aux trois-quarts du pot. Ils comprennent qu'en gardant les pots plus petits, ils auront plus de contrôle sur le résultat. Et c'est exactement ce qu'ils veulent : garder le contrôle de la table.

D'autre part, les amateurs font souvent des mises trop élevées lorsqu'ils craignent qu'autrement, un meilleur adversaire pourrait les battre en jouant. Franchement, ils n'ont pas tout à fait tort.

Procéder à de petites mises est une stratégie de poker destinée aux professionnels et à ceux qui aspirent à ce niveau. Si vous n'y êtes pas encore, il est préférable de continuer à viser les clôtures.

La valeur des cartes assorties

Au Texas Hold'em, il peut paraître évident qu'une **main assortie** (deux cartes de la même couleur) est meilleure que celle qui ne l'est pas.

Il ne faut pas être un génie pour comprendre qu'une main R♥V♥ constitue une meilleure main que R♠V♦, mais la véritable question est : de combien la main assortie est-elle supérieure à l'autre ?

Pour mieux comprendre cette question, il est important d'analyser quelques facteurs clés qui distinguent ces deux mains. Le principal est qu'une main de départ assortie ne présente que cinq p. cent de chances de former une flush.

Cela ne semble pas beaucoup, mais le poker est un jeu de petits avantages et de nuances subtiles. Même si vous n'obtenez cette flush qu'une fois sur vingt, avoir quatre cartes pour un tirage à la flush peut aussi vous permettre de remporter un pot d'autres façons.

Par exemple, si le flop vous donne un tirage à la flush, vous pourrez tenter un semi bluff ou miser sur ce qui viendra. Vous aurez ainsi deux manières de gagner : en complétant votre flush ou en incitant les autres joueurs à abandonner en raison de votre mise.

Il y a encore d'autres bénéfices conférés par les cartes assorties. Disons que vous avez en main R♥V♥ et que le flop est 8♥5♥2♦. Vous avez donc un tirage à la flush sur le flop. Dans ce cas, vous pourriez poursuivre jusqu'à la rivière dans l'espoir d'obtenir votre flush. Parfois, vous obtiendrez une paire de Valets ou de Rois qui pourrait aussi vous permettre de l'emporter.

Maintenant, comparons cela avec une main R-V de couleurs différentes. Vous devriez probablement abandonner avec cette main après le flop, alors que la main assortie pourrait l'emporter.

Un autre point en faveur de la main assortie est que vous allez souvent gagner de gros pots lorsque vous compléterez une forte flush. Que ce soit une partie limite ou sans limite, c'est une main qui peut rapporter beaucoup dans les bonnes conditions.

En se fondant sur cette information, il semble bien que le fait d'avoir une main assortie présente un énorme avantage. Mais il existe des désavantages, surtout pour les débutants qui sont amoureux des mains à tirage.

Je ne les blâme pas, des cartes assorties peuvent être tentantes à jouer, mais les joueurs se servent trop souvent de ce prétexte pour jouer toutes sortes de piètres mains.

Que votre main 7-2 soit assortie ou non, elle demeure mauvaise ! C'est la même chose pour les mains 9-3, 10-4 ou D-2. Une main assortie ne vaut pas tous les ennuis qu'elle peut causer.

Si vous poursuivez continuellement des tirages à la flush, votre budget peut cruellement en souffrir, surtout si vous jouez au Hold'em sans limite. Pensez-y : avoir un tirage à quatre cartes pour la flush après le flop semble être une main puissante, mais vous ne compléterez votre flush qu'une fois sur trois. En d'autres mots, cela signifie que vous ne compléterez pas deux fois sur trois.

D'autres problèmes peuvent survenir lorsque vous obtenez votre flush, mais perdez tout de même le pot face à une flush plus élevée. Disons que vous avez en main R♣3♣ et que vous obtenez une puissante flush à l'aide de ces cartes communes : D♣6♣2♥7♦9♣.

Une seule main peut vous battre : la flush à l'As.

Cependant, si vous vous trouvez face à cette main, il est probable que cela vous coûtera très cher, votre ancienne main puissante étant trop forte pour abandonner. Dans ce cas, vous êtes destiné à perdre tous vos jetons lorsque votre adversaire misera son tapis.

Quel est donc le dernier mot au sujet des cartes assorties ?

Elles sont certainement meilleures que les cartes dépareillées, mais la différence n'est pas aussi grande que vous pourriez le penser. Les débutants jouent souvent mal leur main assortie en misant sur leurs faibles chances d'obtenir la flush. À l'inverse, un professionnel connaît la véritable valeur de ces mains et il en tire le maximum. Des cartes assorties lui donnent encore plus d'armes pour remporter le pot. Il sait qu'elles lui donnent des options pour obtenir une flush, pour jouer un semi bluff, pour obtenir la meilleure paire ou pour abandonner si le flop ne l'aide pas.

XV.

Voler les blinds

Pendant les tournois de poker télévisés, vous entendrez souvent les commentateurs parler de **voler les blinds**.

Ils commentent alors une situation dans laquelle un joueur détenant un piètre jeu augmente la mise avant le flop dans l'espoir de remporter les blinds et les antes, sans avoir à combattre.

C'est une stratégie efficace et profitable lorsqu'elle est utilisée de la bonne manière. En fait, l'un des éléments clés qui sépare les bons joueurs de tournoi des joueurs moyens est la capacité d'utiliser cette stratégie.

Si vous voulez être un excellent joueur vous aussi, vous devez apprendre à perfectionner cette forme de vol légale.

Parce que les blinds et les antes augmentent rapidement dans les tournois, vous ne pouvez pas attendre toute la journée pour obtenir une main de choix. Vous devez vous impliquer en tentant de voler certains blinds pour vous renflouer. Sinon, votre pile de jetons fondra et le paiement des antes vous poussera hors du tournoi.

Voici quelques points importants auxquels vous devez réfléchir lorsque vous essayez de voler les blinds.

1. Qui est dans la position du gros blind ?

Lorsque vous songez à augmenter la mise du gros blind, il est très important de considérer le joueur qui occupe cette position et son style de jeu. S'il joue très large et adopte un style agressif, ce serait idiot de tenter de voler les blinds car il se défendra la plupart du temps.

À la place, tentez d'attaquer le blind d'un joueur faible ou serré; vous savez le roc de Gibraltar qui ne joue que lorsqu'il possède une paire d'As ou de Rois. Il devrait être votre cible car il vous permettra de réussir ce vol de grand chemin assez souvent pour que cela devienne profitable.

2. Votre position à la table.

Il est plus facile de voler les blinds dans les dernières positions que dans les premières, et ce, pour une simple raison : il y a moins de joueurs qui agiront après vous. Si vous tentez le coup de la première position à une table de neufs joueurs, il y aura huit joueurs qui miseront derrière vous et il y a de fortes chances qu'il y en ait un qui possède une main assez forte pour vous égaler. Cependant, si vous tentez de voler les blinds de la position du bouton, il n'y aura que deux joueurs après vous, le petit et le gros blind.

3. L'image que vous projetez à la table.

Si vous avez été identifié comme un bluffer trop agressif, il vous sera plus difficile de voler les blinds. Par exemple, si les joueurs vous ont vu augmenter, lors des trois dernières mains, alors que vous aviez en main un faible 7-2 de couleurs différentes, il y a de fortes chances qu'on ne vous laisse pas faire : vous avez déjà été démasqué.

Donc, si vous pensez que vos adversaires vous ont identifié, il est temps de leur lancer une balle courbe et d'attendre une forte main pour les surprendre.

À l'inverse, si vos adversaires vous voient comme un roc, vous devez exploiter cette image en étant agressif de façon sélective. Avec votre image de joueur serré, ce devrait être plus facile pour vous de voler les blinds, mais vous ne voulez pas non plus en faire trop pour ne pas modifier cette image. C'est une question d'équilibre que vous développerez en acquérant plus d'expérience.

4. Votre nombre de jetons.

Si vous n'avez plus beaucoup de jetons dans un tournoi, cela aura un impact majeur sur votre capacité à utiliser la stratégie du vol des blinds. Lorsque les joueurs réaliseront que vous n'êtes pas une grande menace pour leurs jetons, ils décideront peut-être de jouer des mains ordinaires contre vous, dans l'espoir de vous éliminer.

Donc, idéalement, avec peu de jetons, vous voulez éviter de toujours tenter de voler les blinds. Mais si vous croyez que vous êtes dans une bonne situation pour le faire, mettez tous vos œufs dans le même panier et misez votre tapis.

En revanche, si votre total de jetons est élevé, utilisez cette puissance pour obtenir plus de jetons des joueurs qui en ont peu.

Il existe un vieil adage : «Ce qui est difficile est de faire son premier million. Après, faire de l'argent est un jeu d'enfant.»

Voilà ce à quoi ressemble la vie lorsque vous possédez beaucoup de jetons. Vous avez le luxe de pouvoir voler au grand jour les joueurs qui ont peu de jetons. Ils le savent, mais ils ne peuvent tout simplement rien y faire.

Pour devenir un expert du vol de blinds, vous devez porter attention à tout ce qui se passe à la table. Cela demande plus que quelques moments de réflexion. Vous devez vous concentrer sur ces éléments clés : les blinds de quel joueur devez-vous voler, à quelle position êtes-vous, les adversaires vous considèrent-ils comme un voleur et combien de munitions avez-vous?

Dernière chose, gardez un œil sur le joueur qui est frustré par vos vols. Son blind est habituellement disponible!

Soyez prudent avec ce que vous apprenez à la télévision

Regarder le poker à la télévision est un bon moyen d'apprendre le jeu. Cependant, vous devez faire preuve de prudence à l'égard de l'interprétation de ce que vous voyez.

La clé est de garder à l'esprit que vous regardez un spectacle de poker monté. Vous ne voyez pas toutes les mains jouées et cela peut donner une version biaisée de la réalité.

Par exemple, vous m'avez peut-être vu faire un bluff dans une situation qui ne s'y prêtait pas vraiment parce que mon adversaire avait égalé la mise. Par contre, vous n'avez peut-être pas vu comment ce bluff *stupide* a payé plus tard dans la partie.

Il se passe toujours plus de choses que ce que l'on vous montre à la télé.

La couverture d'ESPN est fantastique, mais le produit est, en fait, un assortiment de faits saillants, recueillis pendant une finale qui a duré une journée complète. Il lui serait impossible de tout montrer avec le temps d'antenne dont elle dispose. On ne montre donc que les populaires confrontations entre une paire de valets et une main A-R.

Vous devez vous demander comment font ces joueurs pour avoir tant d'excellentes mains. En fait, ils n'en ont pas tant que ça. Vous voyez les mains les plus captivantes d'une finale de neuf heures.

L'émission *World Poker Tour* de Travel Channel est un peu plus près de la réalité. Deux heures sont consacrées à chaque émission et la table finale dure, en général, entre quatre et cinq heures. Cependant, il

y a aussi des difficultés lorsque l'on veut apprendre en regardant cette émission.

Même si vous voyez un plus haut pourcentage de mains, le jeu est déformé car les blinds augmentent si rapidement que l'importance des aptitudes est très diminuée. Donc, vous pourrez voir des joueurs miser leur tapis avec une main R-5 et d'autres égaler la mise avec une main comme R-10.

Ce n'est pas du vrai poker. Si vous agissez ainsi dans un tournoi régulier, vous serez beaucoup trop téméraire et agressif.

Le meilleur outil d'apprentissage à la télévision est, sans contredit, l'émission *High Stakes Poker* à GSN. Ce programme réunit des professionnels et des amateurs, dont le propriétaire des Lakers de Los Angeles, Dᵣ Jerry Buss, et le propriétaire de casino de Las Vegas, Bob Stupak. Les blinds n'augmentent pas et le but n'est pas nécessairement de remporter tout l'argent.

Les joueurs sont en compétition avec leur propre argent. J'ai dû allonger un million de dollars pour y jouer. J'étais payé 1 250 $ de l'heure pour participer à l'émission, mais si les cartes n'étaient pas de mon côté, j'aurais pu perdre tout mon investissement.

High Stakes Poker enregistre 24 heures de jeu, présentées dans le cadre d'une série de 13 semaines. Le jeu est très sophistiqué et c'est ce qui se rapproche le plus du vrai poker. Mais, même pour cette émission, j'ajouterais l'avertissement suivant au bas de l'écran : «Pour public averti. Ne tentez pas ces jeux à la maison!»

Pourquoi? Le jeu est très avancé. Essayer ces jeux avec vos copains, à l'occasion d'une partie maison, pourrait très bien ne pas fonctionner. Oui, certains de ces jeux peuvent être mortels entre de bonnes mains, mais ils peuvent aussi ruiner un joueur inexpérimenté qui les essaierait.

Par contre, le poker télévisé reste le meilleur moyen d'apprendre à jouer le Hold'em sans limite après, bien sûr, le jeu à une vraie table. La clé est de comprendre ce que vous regardez et de faire la part des choses.

Il est important de saisir que les joueurs, sur ESPN, ne reçoivent pas de meilleures cartes que ceux du Travel Channel. De plus, la télévision aime montrer les mains les plus folles. Miser son tapis avec V-6 n'est pas une très bonne idée, même si vous avez vu Gus Hansen le faire au *World Poker Tour*.

De toute manière, apprenez ce que vous pouvez des professionnels à la télévision, mais comprenez que vous ne voyez que la pointe du proverbial iceberg du poker.

XVII.

Réflexions sur la main de départ V-V

Plusieurs joueurs de Texas Hold'em n'aiment vraiment pas recevoir deux valets parce qu'ils ont l'impression qu'elle attire la malchance. Il y a de fortes chances pour que la malchance ne soit pas responsable. Cette main est souvent surévaluée et tout simplement mal jouée.

Au Hold'em, les meilleures mains sont : A-A, R-R, D-D et V-V. Il y a toutefois un écart important entre les Dames et les Valets. Avec les Dames, il ne reste que deux **overcards** (cartes plus élevées que la Dame) qui pourraient tomber sur le flop et rendre la paire de Dames vulnérable.

Par contre, avec deux Valets en main, il reste trois overcards possibles sur le flop, ce qui rend cette main plus difficile à jouer. Et, en passant, cette situation est assez fréquente.

S'il n'y a pas d'overcard sur le flop, plusieurs problèmes demeurent, comme des cartes consécutives (4-5-7, 3-4-5 ou 6-7-8). Si un adversaire joue une petite paire, sous-joue une paire de cartes élevées ou est assez chanceux pour obtenir sa quinte sur le flop, vous êtes cuit.

La paire de Valets est une main qui semble trop forte pour abandonner, mais pas assez pour poursuivre s'il y a beaucoup d'action à venir. Si vous jouez une partie de Hold'em limite structurée, l'impact n'est pas aussi important. Cependant, au Hold'em sans limite, où la totalité de votre budget est en jeu, le paire de Valets doit être jouée prudemment.

En fait, dans une partie sans limite, il n'est pas difficile de choisir les situations où vous devriez abandonner avant le flop. Pensez-y un instant.

Disons qu'un joueur des premières positions augmente le blind et qu'un autre très serré mise ensuite son tapis. En regardant votre paire de Valets, la quatrième meilleure paire du jeu, vous devez vous demander : que peuvent-ils bien avoir ?

Ils pourraient avoir tous deux des mains comme A-R. Dans ce cas, vos chances de pot seraient bonnes. Par contre, plus souvent qu'autrement, un des deux aura une paire plus élevée que la vôtre.

On peut facilement imaginer que le premier joueur a une main comme A-D et que celui qui a misé tous ses jetons se retrouve avec une paire de Rois. Dans ce cas, vous auriez quatre chances contre une de remporter le pot si vous jouez jusqu'au bout. Ce n'est pas une bonne chose.

Vous ferez face à de nombreux dilemmes avec une paire de Valets en main et c'est pourquoi plusieurs joueurs ne l'apprécient pas.

Franchement, sauf si un Valet tombe sur le flop, vous ne vous sentirez jamais en sécurité. Maintenant, cela ne signifie pas que vous devez automatiquement abandonner s'il n'y a pas de Valet sur le flop, loin de là. À la place, tentez de protéger votre main sur le flop avec une mise assez importante. Mais, si un joueur égale, vous feriez mieux d'abandonner au plus vite.

Par exemple, si vous misez et que le flop est A-9-4, tentez d'obtenir de l'information sur la main de votre adversaire. S'il égale ou augmente, que croyez-vous qu'il ait ? Il y a de fortes chances qu'il détienne un As. Cela vous laisse sept p. cent de chances de remporter le pot.

Cependant, si le flop est 9-6-2, il est difficile d'abandonner votre paire de Valets. Les seules mains jouables qui pourraient vous battre sont : 2-2, 6-6, 9-9, D-D, R-R ou A-A. Dans ce cas, misez agressivement. Mais si votre adversaire augmente, la décision à prendre sera encore plus difficile !

La clé ici, comme dans la plupart des situations de poker, est de jauger votre adversaire. S'il a en main une paire d'As, de Rois ou de Dames, aurait-il augmenté la mise de beaucoup avant le flop ? Est-il le type de joueur qui égale avec une petite paire avant le flop ? Lorsqu'il obtient un brelan sur le flop, mise-t-il habituellement agressivement ou tente-t-il de jouer doucement pour attirer plus de joueurs ?

En résumé, ce sera une question de jugement. Jouer une paire de Valets engendre l'un des plus complexes processus décisionnels que vous aurez à entreprendre au poker, mais personne n'a dit que ce jeu était facile.

Qu'en est-il du grand séducteur (*Big slick*) ?

Lorsque vous regardez du poker à la télévision, vous entendez les commentateurs parler de la main A-R comme étant une main de choix. Aussi appelée le grand séducteur (*Big Slick*), la main A-R est souvent comparée aux mains A-A, R-R ou D-D.

C'est une grave erreur.

Bien sûr, il est agréable de regarder ses cartes et de voir un As et un Roi mais, plus souvent qu'autrement, si vous jouez pour un pot important avec cette main, les statistiques seront contre vous. La situation la plus commune donne des résultats approchant 50-50, comme pile ou face.

Les statistiques qui suivent devraient vous aider à ouvrir les yeux. Saviez-vous qu'une paire de deux a 53 p. cent de chances de battre une main A-R ?

Oui, c'est vrai. Même une faible paire de deux est favorite, face au puissant grand séducteur. C'est encore pire face à d'autres mains de choix qu'il devra souvent affronter.

Voici comment s'en tire la main A-R contre les cinq meilleures paires :

- contre des paires de 10, de Valets ou de Dames, le grand séducteur n'a que 43 p. cent de chances de l'emporter;

- face à une paire de Rois, il n'a que 30 p. cent de chances;

- contre une paire d'As, la main A-R perdra, dans 93 p. cent des cas !

Comme vous pouvez le constater, la situation est pire que dans un jeu de pile ou face, lorsque le grand séducteur affronte ces paires élevées, surtout contre celles de Rois ou d'As. Bien sûr, votre adversaire n'aura pas toujours une paire en main et dans ce cas, le grand séducteur devient une main de choix, surtout si l'adversaire a en main un As ou un Roi.

Si votre adversaire a R-D ou A-D de couleurs différentes, par exemple, vous le dominerez car il ne lui reste qu'une carte en jeu (la Dame) pour vous battre au tirage. Dans ces scénarios, votre grand séducteur serait grandement favori car il l'emportera dans 74 p. cent des cas.

Il existe un autre groupe de mains que le grand séducteur pourrait affronter : deux cartes en jeu et assorties, comme 7♦8♦. Dans ce cas, le grand séducteur a 58 p. cent de chances de l'emporter. Vous êtes encore favori ici et il semble qu'il y a toujours quelqu'un qui soit prêt à jouer contre vous.

Ces exemples vous donnent un petit aperçu statistique des énigmes relatives à une main. Dans certains cas, le grand séducteur est assez puissant, mais il peut être très vulnérable dans d'autres.

Sachant cela, la clé est de jouer la main A-R avant le flop afin d'éviter de se retrouver dans un gros pot avec tous vos jetons en jeu. Trop souvent, lorsque votre adversaire est prêt à risquer tout son argent contre vous, il aura en main les fameuses paires A-A ou R-R. Cela lui permettra d'être le favori pour remporter la main.

Si vous vous retrouvez dans un tournoi de Hold'em sans limite avec le grand séducteur en main, vous voulez être agressif et attaquer les blinds. Cependant, si vos adversaires résistent, vous devriez songer à abandonner et à attendre une meilleure situation.

Voici quelques autres points à analyser avant d'opter pour un choix de jeu avec le grand séducteur :

1. Combien de jetons avez-vous ?

Si vous en avez peu et que vous avez besoin d'un pot important pour vous remettre dans la partie, vous devriez être très agressif avec le grand séducteur et miser votre tapis. En revanche, si vous avez un bon nombre de jetons et qu'un autre joueur augmente substantiellement votre mise, vous n'avez pas à vous engager dans cette situation peu rentable.

2. Comment jouent vos adversaires ?

Cela est très important à considérer lorsque vous prenez une décision au sujet du grand séducteur. Si le roc de Gibraltar, un joueur très conservateur, augmente de nouveau, vous pouvez être presque assuré qu'il a en main une paire, probablement des As ou des Rois. À l'inverse, si votre adversaire est téméraire et agressif, votre grand séducteur aurait des chances d'affronter une main comme A-V ou même A-10, si tout va pour le mieux.

Le plus important est de comprendre que le grand séducteur constitue une main à tirage. Évidemment, si les deux cartes sont assorties, c'est la meilleure main à tirage qu'il est possible d'avoir au Texas Hold'em. Mais, rappelez-vous, c'est tout de même une main à tirage. En résumé, cette main ne vous permettra de l'emporter que si vous obtenez un autre As ou un Roi ou si vous êtes assez chanceux pour faire une quinte ou une flush.

Jouer intelligemment le grand séducteur vous permettra d'avancer, mais il mérite rarement le titre de main de choix, que tant gens lui ont donné.

Les dix mains les plus problématiques

Lorsque vous jouez au Hold'em sans limite, certaines mains de départ sont considérées comme *problématiques* et ce, car elles sont difficiles à jouer et souvent dominées par de meilleures mains.

Voici les dix mains dont il faut le plus se méfier :

V-8

Le problème avec cette main survient lorsque le flop est D-10-9. Vous avez la deuxième plus haute quinte. Si un adversaire joue R-V, une main que la plupart des joueurs vont tenter, vous êtes en voie de tout perdre. Il faudrait un miracle ou une lecture ridiculement bonne de votre part pour éviter ce piège.

A-10

Même si c'est une excellente main de black jack, elle n'est pas aussi bonne au Texas Hold'em. Voilà le problème : si vous obtenez un autre As sur le flop, les mains A-R, A-D et A-V vous battront. En plus, si le flop est A-7-4, par exemple, vous perdrez contre A-7, A-4, A-A, 7-7 et 4-4. Le seul moment où vous pouvez vous sentir en sécurité avec cette main est lorsque le flop vous donne deux paires ou une quinte.

R-D

Cela semble une bonne main, mais vous devez être prudent. La main R-D est la plupart du temps correcte, mais si quelqu'un a augmenté avant vous, il a probablement en main A-A, R-R, D-D, A-R ou A-D. Votre main est totalement dominée. Si le flop est D-7-2, vous avez une paire élevée avec un bon kicker, mais vous êtes piégé. Vous êtes maintenant forcé de mettre plus d'argent dans le pot et vous perdrez face à ces mains : D-D, R-R, A-A ou A-D.

A-x assorties

Ces mains sont très attirantes car elles forment deux parties d'une puissante flush à l'As. Cependant, soyez prudent et ne tombez pas amoureux des mains à tirage au Hold'em sans limite car vous devrez souvent miser votre tapis pour tenter de compléter la flush. Autre problème avec cette main : si vous avez A♥6♥ et qu'il tombe un As sur le flop, votre kicker perdra habituellement contre un autre joueur qui aura un As.

R-10

Ce n'est pas une main très forte et vous devriez abandonner s'il y a une augmentation. Si un Roi tombe sur le flop, vous avez un problème de kicker. Si un dix tombe, vous devrez vous inquiéter de la main A-10 et de toutes les paires au dessus : V-V, D-D, R-R et A-A.

A-V

Voilà une autre main idéale pour remporter des petits pots, mais qui est destinée à perdre les gros, sauf si vous obtenez une quinte, une flush ou deux paires. Si le flop est, disons, A-8-3, et que votre adversaire fait une mise substantielle, vous serez obligé de jouer aux devinettes. A-t-il A-R ou A-D ? A-t-il obtenu deux paires ou même un brelan sur le flop ? Malheureusement, avec la main A-V, vous allez souvent deviner plus et gagner moins.

D-9

Vous faites ici face au même problème qu'avec la main V-8. Lorsque le flop est R-V-10, vous perdrez tout votre argent, face à la main A-D. En plus, si vous obtenez une paire de Dames, votre kicker sera presque certainement battu.

R-V

Elle est connue sous le nom de **main de recrue**. Elle présente un potentiel trop intéressant pour abandonner, mais elle n'est pas assez puissante pour augmenter. Une règle générale du Hold'em sans limite veut que «si une main n'est pas assez bonne pour augmenter, elle n'est pas assez bonne pour égaler». Le gros problème de cette main est qu'elle est dominée par trop de mains que les joueurs jouent habituellement : A-A, R-R, D-D, V-V, A-R et A-V.

J-J

Il s'agit de la quatrième meilleure paire du jeu, mais lorsqu'un joueur mise son tapis contre vous, la décision devient déchirante. Même si vous faites le bon choix et que votre adversaire a en main A-R, vous ne gagnerez le pot qu'un peu plus d'une fois sur deux. Si vous vous trompez et que votre adversaire a D-D, R-R ou A-A, il est favori à quatre contre un.

Roulement de tambour s'il vous plaît…

A-D

Demandez à n'importe quel joueur professionnel de vous donner la main qu'il déteste le plus et A-D sera son choix. Pourquoi ? Parce qu'elle est puissante dans la plupart des situations, mais que face à la redoutable main A-R, votre adversaire sera favori à environ trois contre un pour remporter le pot !

Isoler votre adversaire au Hold'em limite

Même si le Texas Hold'em sans limite, et ses millions de dollars, est le style de partie que vous pouvez voir à la télévision, le Hold'em limite demeure le jeu de poker le plus populaire aujourd'hui.

Les deux jeux sont très semblables; la seule différence réside dans les mises. Les joueurs de Hold'em sans limite comprennent qu'ils sont dans un jeu de pièges. Cependant, ceux qui ont du succès au Hold'em limite reconnaissent que leur jeu se réduit aux agressions brutales.

Je vais partager avec vous une stratégie très intelligente, qui se rapporte plus particulièrement au Hold'em limite : isoler votre adversaire en utilisant la position.

La position représente une puissance dans toutes les formes de poker, mais elle ne vaut rien si vous ne l'utilisez pas efficacement. Comment faire ? Voici une bonne façon de débuter.

Comprenez que, même si vous voulez toujours jouer un puissant poker de position, cela ne fonctionne tout simplement pas dans les parties impliquant plusieurs joueurs. Cela n'est efficace que dans les parties serrées, alors que seulement deux ou trois joueurs restent pour voir le flop. Donc, si vous êtes à une table où cinq ou six joueurs égalent constamment pour voir les flops, conservez cette information précieusement pour l'utiliser lorsque vous aurez atteint un niveau de jeu supérieur et que vous affronterez des joueurs plus avancés.

L'exemple qui suit illustre comment mettre en œuvre la stratégie de la position.

Disons que vous êtes dans une partie de Hold'em limite 10 $-20 $ et que tout le monde a abandonné, sauf le joueur à votre droite, qui a augmenté la mise à 20 $. Vous, sur le bouton du donneur, avez une paire de 5 et vous faites face à votre premier dilemme : égaler, augmenter de nouveau ou abandonner ?

Dans ce cas, égaler la mise serait le pire des trois choix. Cela inciterait les deux joueurs suivants, les blinds, à égaler aussi. Il est important de comprendre que, même si une main comme 5-5 est favorite, en situation de tête-à-tête contre A-R, toute paire peu élevée donnera plutôt un faible rendement contre deux adversaires.

Pour cette raison, faites tout ce que vous pouvez pour vous retrouvez en tête-à-tête : augmentez de nouveau, jeu aussi appelé «miser trois», pour faire pression sur les blinds et le joueur qui avait déjà augmenté.

Poursuivons notre exemple et tenons pour acquis que les deux blinds ont abandonné et que l'autre joueur a égalé votre augmentation. Le flop est V♠7♣3♦. Si votre adversaire passe sur le flop, continuez d'être agressif et misez.

Rappelez-vous, il n'a aucune idée de ce que vous avez.

Si l'autre joueur a une main comme A-R ou A-D, il pourrait abandonner tout de suite en pensant que vous avez en main une paire d'As ou de Rois. S'il égale, il n'y a pas de problème : votre petite paire devient favorite à près de 85 p. cent.

Maintenant, disons que le flop était A-R-9. Cela n'est pas très opportun pour votre petite paire de 5. Par contre, votre adversaire n'a aucune idée de votre main. S'il passe, allez de l'avant et misez sur le flop.

Dans ce cas, si l'autre joueur a une main comme 8-8, il aura de la difficulté à égaler votre mise, le flop ne l'ayant pas aidé lui non plus.

Vous pourriez gagner ce pot, même avec la pire main, en ne faisant que jouer agressivement votre position.

Voici la clé : lorsque vous jouez au Hold'em limite et que vous êtes en position de puissance, gardez les devants en vous assurant d'être l'agresseur.

74

J'ai utilisé la paire de cinq pour illustrer cet exemple, mais votre main de départ n'a pas d'importance lorsque vous isolez un joueur. Vous pouvez le faire avec des mains comme A-R, A-D, ou même 8-9 assorties, ou R-D de couleurs différentes.

Votre but est d'isoler celui qui avait fait l'augmentation initiale, d'espérer que le flop ne l'aide pas, puis de faire pression pour l'inciter à abandonner.

Bien sûr, vous vous ferez prendre à l'occasion, mais c'est de bonne guerre. Pour que ce jeu soit efficace, vous devez savoir quand vous arrêter. Si l'adversaire revient avec une augmentation, il est temps de freiner, sauf si vous pensez que vous le battez.

XXI.

Jouer de piètres mains

Vous pourriez vous demander pourquoi un joueur de haut niveau comme Gus Hansen joue des mains comme 9-2 de couleurs différentes, lors des tournois télévisés. Tous les livres de poker au monde classent clairement cette main dans la catégorie des piètres mains, ce qui signifie de les éviter à tout prix.

Heureusement, après avoir lu ce livre, vous comprendrez mieux la théorie qui suggère de jouer ces mains de temps à autre et qui explique quand le faire.

Le principe de base n'est pas de croire que votre main a de la valeur. Il repose plutôt sur deux choses :

1. vous donnez l'impression d'une bonne main en bluffant;

2. vous espérez que vos adversaires n'ont pas grand-chose.

Disons, par exemple, que vous jouez un *stud* à sept cartes dans une partie à huit joueurs et que les quatre premiers abandonnent. C'est à votre tour et votre carte ouverte est un As. Malheureusement pour vous, vos cartes privées sont mauvaises (7-2).

Ce n'est pas une main que vous joueriez dans des circonstances normales, mais supposons que les trois joueurs restants jouent tous très serré. De plus, leurs cartes n'ont pas l'air menaçant; le joueur A possède un 2, le joueur B, un 3, et le joueur C a lui aussi un 2.

76

Que devriez-vous faire ? Augmenter !

Oui, je sais que les livres disent de ne jamais jouer une telle main mais, dans ces conditions, vous pouvez projeter de la puissance en augmentant. Vos adversaires semblent faibles et ils ne savent pas que vous avez de mauvaises cartes en main. Il y a donc de bonnes chances que vous remportiez le pot dès maintenant.

Prenons un autre exemple, celui-ci d'une partie de Texas Hold'em. Tout le monde a abandonné et vous êtes à la dernière position. Vous avez reçu la pire main du Hold'em : 7-2 de couleurs différentes. Dans 98 p. cent des cas, je vous suggérerais probablement d'abandonner cette main et d'en attendre une meilleure. Sauf, bien sûr, si vous savez que les deux blinds sont des joueurs conservateurs et très prévisibles.

Dans ce cas, vous pouvez augmenter avec n'importe quelle main. Cela est important car vous ne jouerez pas votre main, mais bien leurs mains.

Si vous augmentez, il se peut que les blinds abandonnent. Ce serait le résultat parfait, mais même si ce n'est pas le cas, vous n'êtes pas nécessairement éliminé de cette main.

Supposons que le gros blind égale votre mise et que le flop est A♠9♣4♦. Si le joueur conservateur du gros blind n'a pas d'As, il va probablement passer. Même si vous n'avez rien, vous devriez tout de même miser sur le flop.

Si votre adversaire égale la mise, ou, pire, l'augmente, vous devrez abandonner. Mais il abandonnera plus souvent qu'autrement, s'il n'a pas une paire d'As.

Ce n'est pas la seule façon que vous avez de gagner le pot; vous pourriez vous aussi être aidé par le flop. Évidemment, 7-2 est une piètre main difficile à compléter, mais vous pourriez être chanceux et obtenir sur le flop une paire, deux paires ou un même un brelan.

Même si vous n'êtes *pas obligé* de jouer ces faibles mains, vous *devez les essayer* de temps à autre pour être en mesure d'atteindre le prochain niveau de poker. Donc, allez-y et ajoutez ce nouveau jeu à votre arsenal.

La plupart des débutants se concentrent sur : «Qu'est-ce que j'ai ?»
L'étape suivante est : «Qu'a mon adversaire ?» La troisième étape, celle
qui permet d'expliquer pourquoi Gus Hansen semble toujours avoir une
mauvaise main, est : «Qu'est-ce que mon adversaire croit que j'ai ?»

Gus est un brillant joueur de poker professionnel et il est conscient
de son image de joueur à mauvais jeux. Parce qu'il comprend comment
les adversaires le perçoivent, il utilise cela à son avantage et il se fait
joliment payer lorsqu'il obtient de bonnes mains.

Il y a un principe sous-jacent à cette folie perçue par les autres. Ne
jugez pas un adversaire par les mauvaises mains qu'il joue. En revanche,
concentrez-vous sur sa *façon* de les jouer et recyclez ces informations
pour les utiliser plus tard dans la partie.

<u>Égaler la mise avec la pire main</u>

Dans certaines situations, à la table de poker, vous saurez que votre adversaire vous bat. Cependant, vous devriez tout de même égaler la mise. Un parfait exemple s'est produit au Championnat national de Poker en 2006, alors que je me trouvais en tête-à-tête avec ma bonne amie, la professionnelle de poker Evelyn Ng.

Dans cette main, Evelyn a augmenté à 1 200 $ avant le flop et j'ai égalé avec V♠9♠. V♦4♥3♦ sont tombés sur le flop et j'ai passé. Evelyn a misé 1 600 $. À ce moment-là, elle était en avance et je n'avais plus que 12 600 $ en jetons.

Finalement, après une longue réflexion, j'ai décidé de miser mon tapis, en espérant qu'elle ne pourrait battre ma paire de Valets. Elle a songé à égaler pendant un certain temps, mais elle a abandonné sa main 7♦4♦.

A priori, sa décision semblait être la bonne. Après tout, j'avais une paire de Valets et elle, seulement une paire de 4. Mais au poker, et j'espère que vous l'apprendrez de moi, il y souvent bien plus que la seule force de la main.

Premièrement, regardons les chances de sa main contre la mienne.

Parce qu'elle pouvait obtenir un 4, un 7 ou un carreau pour l'emporter, sa main était favorite à seulement 51 p. cent. En fait, les seules mains contre lesquelles elle ne serait pas favorite seraient deux paires ou un brelan. Même contre un brelan de Valets, elle aurait 30 p. cent de chances de remporter le pot.

Cependant, elle avait d'autres préoccupations.

Evelyn était face à une mise de 11 000 $ mais, avec ce qu'il y avait déjà dans le pot avant le flop et sa mise sur le flop, elle devait risquer 11 000 $ pour gagner 16 600 $. Elle avait des chances égales de remporter le pot, mais ce dernier lui donnait des probabilités de trois contre deux (16 600 $/11 000 $). De plus, elle devait considérer que cela lui donnait l'occasion de terminer la partie.

Il est important de noter que certains tirages sont si puissants qu'ils sont parfois considérés comme favoris pour remporter le pot.

Par exemple, si vous avez en main 5♥6♥ et que le flop est 6♦7♥8♥, vous serez le favori pour gagner le pot, et ce, même contre une main de départ de deux As ! En fait, vous serez faiblement favori, obtenant la main gagnante dans 64 p. cent des cas.

Il existe une règle qui vous permet de savoir si votre tirage est favori, face à un adversaire.

La voici : avec le tournant et la rivière encore à venir, s'il y a treize cartes qui pourraient améliorer votre main et la faire gagner, vous n'êtes pas favori, mais presque. S'il y en a quatorze, vos chances seront de 50 p. cent.

Voici un exemple de main que j'ai récemment analysé :

Cartes du joueur A :

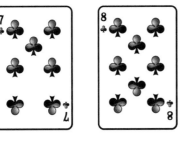

Cartes du joueur B :

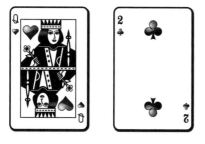

Le flop :

Le joueur A a treize cartes pour améliorer sa main (huit trèfles, deux 7 et trois 8). Sa main l'emportera dans 47 p. cent des cas.

Maintenant, transformez la main du 2 du joueur B en 2♥, et le joueur A deviendra de peu le favori, avec des chances de l'emporter dans 50,1 p. cent des cas. Encore plus séduisant, dans une main où le joueur A a 15 sorties, il serait le favori à 56 p. cent.

Vous n'avez pas besoin d'une maîtrise en mathématiques pour jouer au poker, mais il est utile de garder ces probabilités à l'esprit.

Cette connaissance devient encore plus importante dans les tournois de Hold'em sans limite. Un exemple extrême serait une situation dans laquelle un joueur a misé son tapis, alors que vous occupez la position du gros blind et que vous avez une faible main 3-2 de couleurs différentes.

Vous savez que votre adversaire vous bat, mais cela ne signifie pas pour autant que vous devez abandonner. Premièrement, calculez les chances de pot que vous avez. Puis, estimez vos chances de gagner en calculant vos sorties.

Voici un dernier exemple : vous avez 400 $ dans le pot en tant que gros blind et votre adversaire mise son tapis avec 700 $. La mise demandée ne représente donc que 300 $ de plus. Incluant le petit blind, vous risqueriez 300 $ pour gagner 1 300 $. Ces chances de pot de quatre contre un sont très favorables. Même si l'autre joueur a une main puissante de A-R, vous seriez tout de même assez chanceux pour remporter le pot dans 34 p. cent des cas.

Vous ne gagnerez pas au poker en ne jouant que les bonnes mains. Afin d'atteindre le prochain niveau, vous devez changer votre façon de penser. Ne vous préoccupez pas toujours de savoir si vous avez ou non la meilleure main. En revanche, tentez plutôt de savoir si les chances de pot vous indiquent de jouer ou non la main.

Mains dangereuses à jouer, mains dangereuses à avoir

Il y a du danger tout autour de la table de poker.

L'astuce, pour devenir un joueur de poker gagnant, est d'apprendre à éviter les pièges dangereux, tout en faisant peur aux adversaires en jouant des mains ingénieuses.

Mains dangereuses à jouer

La pire main que vous pouvez obtenir, lorsque vous jouez au Texas Hold'em, est celle qui semble présenter trop de potentiel pour abandonner, mais pas assez pour augmenter. Évidemment, il est facile de comprendre que vous devriez augmenter avec une paire d'As en main et abandonner avec 7-2 de couleurs différentes, mais les mains comme R-V de couleurs différentes peuvent également vous causer de réels problèmes.

Même s'il est certain que les cartes élevées sont meilleures que les faibles, dans la plupart des situations de sans limite, les faibles cartes offrent un meilleur ratio risque/récompense.

Le problème potentiel avec les mains risquées, comme R-V, A-V, D-V ou même R-D, réside dans le fait que, si vous obtenez une paire sur le flop, votre kicker pose problème. Trop souvent, lorsque vous égalez une augmentation avec une main R-D, vous vous retrouvez face à A-R, A-A ou R-R.

Si vous poursuivez avec R-D et que le flop est D-6-2, vous avez ce qui semble être une bonne main. Toutefois, si un joueur décide de jouer contre vous après le flop, il y a des risques que vous soyez battu.

En résumé : si vous jouez pour un pot important, pour tout votre argent, sur ce flop, vous risquez de vous retrouver face à un brelan (de 2, de 6 ou de Dames) ou des mains de départ A-D, R-R ou A-A.

En général, ces mains risquées remportent souvent de petits pots lorsque le flop n'aide personne et perdent souvent les pots énormes lorsqu'elles se retrouvent face à de meilleures mains. Pourquoi ? Parce qu'il est très difficile d'abandonner une main qui semble si forte après un tel flop.

Comprenez-moi bien. Je ne vous recommande pas de ne jamais jouer des mains comme R-D ou A-V, mais rappelez-vous que lorsque vous le faites, vous devez être prudent. Ne vous fiez pas à votre meilleure paire, si un adversaire de qualité mise fortement.

Mains dangereuses à avoir

Maintenant, comparons les exemples précédents avec une main de départ 4-4. Cette main est beaucoup plus facile à jouer. Soit que le flop va vous aider énormément, en vous donnant un brelan, ou qu'il vous laissera avec une main de très faible valeur.

Prenons un autre exemple. Vous occupez l'une des dernières positions avec 4-4 en main et vous égalez l'augmentation d'un joueur que vous suspectez de posséder une forte main, peut-être même A-A. Vous n'égalez pas en pensant que votre petite paire constitue la meilleure main, mais bien en raison de vos chances de remporter le pot.

Disons que le flop est V♥4♣2♦, ou, tout simplement splendide !

Si votre adversaire avait au départ une main comme A-A, R-R ou D-D, vous pouvez remporter tous ses jetons, si vous misez comme il le faut. Si le flop avait été V-9-8, vous auriez dû abandonner immédiatement votre paire de 4, sans risquer un autre jeton. Comme vous pouvez voir, c'est un risque mineur, considérant ce que peut vous rapporter une petite paire.

Il existe un autre groupe de mains que vous devriez ajouter à votre répertoire : les petites cartes assorties et consécutives, comme 7-6. Elles peuvent être plus problématiques que les petites paires, mais vous serez en mesure de réussir plus souvent. C'est le même principe qu'avec les petites paires : se rendre au flop en payant le moins possible et abandonner, si le flop ne vous aide pas.

Prenons un dernier exemple. Vous égalez une augmentation avec 6-7 de cœur et le flop est 6-6-2. Si votre adversaire a une paire élevée en dessus (*overpair*), vous allez peut-être gagner tous ses jetons. Il ne peut en effet imaginer que vous avez égalé une augmentation avec un 6 en main.

La différence majeure entre les mains dangereuses à jouer et à avoir réside dans le fait qu'on peut facilement sortir de la dernière, mais très difficile d'éviter les pièges posés par une main risquée, comme une paire élevée.

Soyez le joueur dangereux et non le joueur en danger.

XXIV.

Jouer avec peu de jetons

Lorsque vous jouez dans un tournoi de poker, vous allez souvent vous retrouvez avec peu de jetons par rapport aux blinds. Cela peut se produire en raison de différents facteurs : vous avez perdu une main importante ou vous n'avez pas obtenu de bonnes cartes.

Peu importe, vous avez des options limitées, mais vous en avez.

Trop souvent, j'ai vu des joueurs miser tous leurs jetons avec de piètres mains. Ils abandonnaient parce qu'ils n'avaient presque plus de jetons. Le croiriez-vous, si je vous disais que le champion des Séries mondiales de poker, Jack Strauss, est revenu de l'arrière pour l'emporter, après n'avoir eu en sa possession qu'un seul petit jeton ?

Le vieil adage : « un jeton et une chaise » devrait être respecté.

Au lieu de tout abandonner et de perdre inutilement vos jetons, voici quelques stratégies pour vous remettre dans la partie lorsque vous avez peu de jetons.

1. Attendez une bonne main.

C'est maintenant le temps de tenter de voir beaucoup de flops avec de faibles mains. Vous devez rechercher une main qui se joue bien, donc une main qui a de bonnes chances d'être la meilleure avant le flop. Si les mains, comme 6-5 assorties, sont tentantes, ce n'est pas le temps de les jouer. Cependant, les mains comme A-10 ou R-D présentent un bon potentiel, si vous êtes assez chanceux pour obtenir une paire.

2. Misez votre tapis.

Lorsque vous avez peu de jetons, vos armes sont limitées. Donc, si vous décidez de jouer une main, adoptez la stratégie du tout ou rien et misez ce qu'il vous reste. Si personne n'égale, vous allez remporter les blinds et les antes, ce qui vous aidera à remonter la pente. En fait, lorsque vous avez peu de jetons, votre but devrait être de gagner les blinds et les antes.

3. Soyez le premier à miser.

Il vaut beaucoup mieux être le premier à miser lorsque vous avez peu de jetons. Si quelqu'un a déjà augmenté avant vous, vous misez votre tapis et les chances d'être égalé augmentent. Vous n'avez tout simplement pas assez de jetons pour effrayer les autres.

Parce que votre but est d'attaquer les antes et les blinds, la logique veut que si un autre joueur a démontré de l'intérêt pour voir le flop, il sera plus difficile de les faire abandonner si vous misez votre tapis.

4. Évitez les joueurs avec beaucoup de jetons.

Sauf si vous avez une main de départ de choix, évitez d'attaquer le blind d'un joueur qui a de nombreux jetons. Il sera plus enclin à défendre son blind car vos rares jetons ne lui causeront pas de vrais problèmes. À la place, vous voulez attaquer les joueurs qui ont peu de jetons ou ceux qui en ont un nombre moyen. Ces derniers ne pouvant prendre trop de risques, il sera plus facile de gagner leurs blinds.

5. N'abandonnez pas.

Rappelez-vous de Jack Strauss. Il est devenu champion du monde alors qu'il ne semblait même pas être en mesure de gagner une autre main.

Vous devez rester positif, travailler fort et tenter de remonter la pente. Trop de joueurs abandonnent en disant : « Je n'avais pas le choix. Je n'avais plus de jetons de toute façon. »

Vous avez toujours le choix et les décisions que vous prendrez alors seront très significatives. En fait, elles sont critiques.

Voici mes dernières réflexions à ce sujet.

Il est important de savoir à quel point vous manquez de jetons. Si vous êtes juste sous la moyenne et que les blinds sont relativement petits, vous n'avez pas à apporter de changements draconiens à votre stratégie. Cependant, s'il ne vous reste qu'un gros blind, vous ne pouvez trop attendre avant de jouer une main. Vous devrez ajuster vos exigences, en ce qui a trait aux mains de départ, et ce, de façon significative et souhaiter que tout se passe bien.

La dernière chose que vous voulez faire est d'être éliminé en payant les antes. Lorsqu'il ne vous reste presque plus de jetons, des mains comme D-7 assorties ou A-5 de couleurs différentes sont clairement jouables. Allez-y et misez vos derniers jetons.

Et gardez les doigts croisés.

Contrôler la table avec beaucoup de jetons

Il n'y a rien de plus stimulant que d'avoir d'énormes piles de jetons dans un tournoi sans limite. Avec beaucoup de jetons, il existe tellement de façons d'en remporter encore plus. L'agression brutale en est une, mais cette approche peut aussi mettre en péril vos avoirs si vous n'êtes pas prudent.

Vous voyez, lorsque vous voulez utiliser votre richesse pour intimider les autres, il est aussi important de conserver vos jetons pour pouvoir continuer d'être la force dominante. Si vous êtes trop téméraire et que vous perdez un pot important, le nombre d'armes de votre arsenal diminuera considérablement.

Voici six points à analyser la prochaine fois que vous vous retrouverez dans un tournoi et que vous bénéficierez d'une grande quantité de jetons.

1. Attaquez ceux qui ont peu de jetons.

Lorsque des joueurs n'ont presque plus de jetons, leurs options deviennent très limitées. Ils sont obligés d'attendre une bonne main pour miser tous leurs jetons.

Pendant cette attente, secouez-les. En effet, même s'ils jouent contre vous, ils ne peuvent causer à vos piles de jetons que des dommages mineurs.

Quand les joueurs qui occupent les positions des blinds ont peu de jetons, soyez très agressif et augmentez avec toutes sortes de mains. Rappelez-vous, vos cartes ne sont pas tellement importantes. Ce qui compte est de savoir si vos adversaires ont ou non une main assez forte pour vous affronter.

2. Évitez les joueurs qui ont beaucoup de jetons.

La dernière chose que vous voulez faire est de vous attaquer à un joueur qui détient lui aussi beaucoup de jetons, sauf si vous avez une main de choix. Les joueurs que vous voulez bluffer sont ceux qui en ont peu et qui ne peuvent vous faire très mal. Rappelez-vous, vous devez protéger vos jetons. Donc, si vous affrontez quelqu'un qui pourrait vous en ravir plusieurs, soyez prudent. Ne vous avancez pas sans une bonne main.

3. Ne jouez pas les pots de grande envergure.

Vous pouvez protéger vos jetons en évitant de jouer dans les situations peu rentables. Votre but est d'augmenter votre total de jetons lentement, tout en limitant les risques. Lorsque vous n'êtes pas totalement convaincu d'avoir la meilleure main, faites preuve de prudence. Continuez d'être agressif lorsque des pots moins substantiels sont en jeu, mais ne risquez pas un pourcentage important de vos jetons si vous n'avez pas la combinaison la plus forte ou presque.

4. Soyez créatif.

L'un des luxes conférés par une grande quantité de jetons est celui de pouvoir utiliser toutes les astuces de poker contenues dans ce livre : sous-jouer, piéger, bluffer, semi-bluffer, etc. Vous voulez demeurer agressif et votre richesse vous offre la possibilité de pouvoir mélanger les styles, essayer de nouvelles tactiques et jouer des mains trompeuses.

Lorsque vos adversaires croient vous avoir bien cerné, il est temps de leur lancer une balle courbe et de jouer une main de façon non orthodoxe. Le fait d'être imprévisible sera excellent pour l'image que vous projetez à la table.

5. Effrayez vos adversaires.

Avec beaucoup de jetons, vous voulez vous imposer à la table. Vos adversaires devraient vous craindre lorsque vous misez, que vous occupez la position du gros blind ou si vous n'avez pas encore agi. Quand ils ont peur de jouer avec vous, vous contrôlez la table.

6. Soyez toujours présent.

Laissez savoir à vos adversaires que vous êtes là pour jouer et non pour contempler vos jetons. Parlez sans être impoli, prétentieux ou irritant. Vous devez convaincre les autres que vous êtes en mission. Cela suffira pour affecter les dispositions mentales de vos adversaires. Cultivez votre image d'agresseur et ils croiront que vous demeurerez ainsi toute la journée. Si les joueurs vous craignent, ils abandonneront des mains au cours desquelles ils auraient normalement augmenté la mise.

Ces six conseils vous aideront à augmenter votre total de jetons et à vous rendre plus souvent en finales.

XXVI.

Jouer rapidement, jouer lentement

Lorsqu'il s'agit des concepts de jeu lent et rapide au poker, le type de partie jouée n'y change rien.

Cependant, il est important de comprendre que les différentes formes de poker demandent des stratégies et des approches particulières. S'il est habituellement approprié de jouer lentement, dans un *stud* à sept cartes high-low, cela peut être une grave erreur au Texas Hold'em limite.

En fait, les parties de Hold'em limite sont celles où il est plus rentable de jouer à fond, agressivement et rapidement. De plus, si vous jouez dans une main qui réunit six joueurs ou moins, je vous suggérerais d'attacher votre ceinture de sécurité !

Le Hold'em limite n'est tout simplement pas fait pour récompenser le jeu lent. Cela ne signifie pas que vous ne devez jamais attirer les autres dans un pot, mais les situations où il est approprié de le faire sont rares. Parce qu'il est facile pour une main peu profitable d'être battue au tirage dans une partie limite, il est important de miser et d'augmenter pour réduire le nombre de joueurs et ainsi augmenter vos chances de remporter le pot.

Le seul moment favorable pour le jeu lent au Hold'em limite est lorsque vous avez une main presque imbattable et que vous pensez qu'une mise agressive effraiera les autres. Par exemple, si vous avez A♥7♥ et que le flop est R♥6♥3♥. C'est un bon moment pour jouer lentement votre main car il est peu probable que quelqu'un vous battra sur le tournant ou la rivière.

Les meilleurs joueurs de Hold'em limite ont tous une chose en commun : ils n'arrêtent pas de frapper et ils maintiennent presque toujours le jeu à une grande vitesse. Suivez-les et jouez vos mains rapidement et agressivement.

Si le poker limite est un jeu de force brutale, le sans limite demande plus de finesse, de ruse et de créativité. Le sans limite récompense des joueurs comme Johnny Chan, qui utilise des stratégies de mise sournoises pour feindre la faiblesse, piéger les adversaires et les vaincre avant qu'ils ne comprennent ce qui leur arrive.

Ce n'est pas pour rien que Chan a été surnommé le «sable mouvant oriental». Johnny est un maître du jeu lent. Le film *Rounders* l'illustre très bien : Johnny obtient la combinaison la plus forte sur le flop contre Erik Seidel, puis le laisse se pendre, sans même avoir à miser. Tout ce qu'il a fait a été de fournir la corde.

Si vous voulez ajouter le jeu lent à votre répertoire, voici quelques règles que vous devriez suivre.

Trouvez le bon adversaire.

Le meilleur type de joueur pour utiliser le jeu lent est celui qui est très agressif et qui bluffe beaucoup. Le joueur qui verra votre check comme un signe de faiblesse et qui tentera de vous voler le pot est une cible parfaite. Le jeu lent est beaucoup moins efficace contre un joueur timide.

Jouez une main de choix.

Afin de justifier un jeu lent, vous devez avoir une très forte main. Une paire, même si elle est d'As ou de Rois, est une main peu rentable après le flop. Jouer lentement avec une telle main ne fera que vous piéger vous-même tout en vous faisant perdre un énorme pot.

Assurez-vous d'avoir un plan.

Ne jouez pas automatiquement une *nut flush* sur le flop, juste pour le plaisir d'utiliser cette stratégie. Pensez toujours à la façon d'optimiser votre profit dans cette main. Donc, en fonction de l'action à la table, n'éliminez pas l'option du jeu rapide avec les combinaisons les plus fortes sur le flop. Dans la bonne situation, ce jeu pourrait engendrer encore plus d'action que le jeu lent.

Évitez d'être prévisible.

Si vous jouez toujours lentement avec des mains de choix, les adversaires le remarqueront et votre plan sera gâché. Soyez conscient du fait que vous devez mélanger les styles. Misez parfois sur le flop, alors que vous avez une main pleine. En d'autres occasions, passez et recherchez les possibilités de jeu lent.

Rappelez-vous aussi ceci : ne sous-estimez jamais la capacité de perception de vos adversaires. Ils tentent constamment de vous analyser. Ne leur rendez pas la tâche facile.

Mêler les cadences lente et rapide du jeu les fera réfléchir.

XXVII.

<u>Trois flops dangereux</u>

La plupart des décisions difficiles à prendre, au cours d'une partie typique de Texas Hold'em, surviennent après le flop. Il est facile de comprendre en quoi consiste une bonne main avant le flop et comment la jouer, mais il y a plusieurs variables à considérer après le flop. Une fois que ces trois cartes communes sont tombées sur la table, plusieurs possibilités apparaissent.

Voici trois flops particulièrement dangereux et les conseils qui vous aideront à vous y ajuster.

Le flop avec une paire

Un flop avec une paire peut constituer une belle découverte ou une mort certaine. Disons que vous avez en main une paire de Rois et que le flop est D♥7♠7♣. Dans cette situation, vous avez deux paires, les Rois et les 7.

Évidemment, si personne n'a de 7 en main, vous êtes en bonne position (sauf si un autre joueur a en main une paire de Dames ou d'As). Parce qu'il n'y a pas de tirage sur la table, cette situation semble claire.

Mais si quelqu'un vous augmente ?

Votre belle paire de Rois pourrait se retrouver contre une main A-D, ou vous pourriez vous mettre à espérer un des deux seuls Rois restants, si votre opposant a un brelan de 7.

La meilleure manière d'approcher un tel flop avec une paire en dessus est de miser, mais si vous recevez de la résistance, soyez prudent. Ne commencez pas à augmenter encore et encore. Contentez-vous d'égaler la mise et d'espérer que votre adversaire a une paire de Dames et non un brelan de 7.

Le flop coordonné
Un flop coordonné est constitué de trois cartes qui pourraient former une quinte, comme D-10-8. Disons que vous avez une paire d'As et que trois joueurs ont égalé la mise. Un tel flop est extrêmement dangereux car plusieurs cartes peuvent permettre aux joueurs d'égaler la mise. Des mains comme D-V, D-10, V-9 et 8-8 ont toutes des chances d'être détenues par vos adversaires.

Si trois de ces mains vous battent (deux paires, une quinte et un brelan), même la première, D-V, est presque aussi forte que la vôtre. Si un 9, un Valet ou une Dame tombe sur le tournant ou la rivière, vous serez encore battu. En fait, vos As sont favoris à seulement deux contre un, contre la main D-V sur ce flop.

Plus il y a de joueurs en jeu avant le flop, plus grand est le risque de voir perdre la paire élevée. Le but est de tenter de limiter le nombre de joueurs en augmentant agressivement sur le flop, puis, si la carte du tournant ne vous aide pas (8, 9, 10, V, D, R), il faut être prudent, peut-être même abandonner.

Le flop assorti
Lorsque trois cartes de même couleur tombent sur le flop, jouer une paire en dessus sans posséder une carte de cette couleur peut être très dangereux.

Disons que vous avez V♣V♠ et que le flop est 8♥6♥2♥. Vous avez une belle paire en dessus, mais un autre cœur sur le tournant et votre puissante paire de Valets devient inutile.

La meilleure manière d'approcher une telle main est de miser sur le flop. Cependant, ne soyez pas trop agressif et n'augmentez pas. Vous pourriez, bien sûr, augmenter autant que vous le voulez sur le flop, mais si un joueur a un cœur en main, il y a de fortes chances qu'il égale.

Vous devez comprendre qu'il est mieux de jouer prudemment sur le flop car il reste encore deux cartes à venir. Si une carte qui ne présente aucun danger tombe sur le tournant, ce serait le bon moment de faire payer l'adversaire qui était sur un tirage à la flush.

Maintenant, si plusieurs joueurs poursuivent, vous feriez peut-être mieux d'abandonner tout de suite. Des six joueurs qui avaient égalé la mise avant le flop, il est probable qu'au moins un d'entre eux ait obtenu sa flush sur le flop. S'il y a des mises et des augmentations avant votre tour, je vous suggérerais d'abandonner.

Méfiez-vous de votre paire d'As

Lorsque vous jouez au Texas Hold'em, il n'y a rien de plus agréable que de voir une paire de cartouches, d'American Airlines, de combinaisons les plus fortes ou de tout autre nom désignant une paire d'As.

Cependant, soyez prudent.

Même s'ils constituent sans conteste la meilleure main de départ possible, ils peuvent causer des problèmes, surtout si vous vous y fiez trop et que vous jouez au Texas Hold'em sans limite.

Voici le problème. Plusieurs joueurs ont de la difficulté à comprendre que cette main peut perdre. Cela arrive, et à tout le monde. En fait, même la main 7-2 de couleurs différentes la battra, dans 12,5 p. cent des cas.

Le plus souvent, les mains qui battent la paire d'As sont deux cartes assorties et consécutives, de même que les petites paires. Même si cela semble incroyable, une main 7-6 assorties battra les As dans 23 p. cent des cas, alors qu'une petite paire de 2 y parviendra dans 13,5 p. cent des cas. Si 13,5 p. cent ne semble pas beaucoup, cela devient beaucoup plus significatif lorsque vous ajoutez les mises à tout cela.

Disons, par exemple, que vous avez augmenté avant le flop avec vos As et que votre adversaire égale avec sa paire de 2. Si le flop est un **arc-en-ciel** (cartes de trois couleurs différentes) comportant les cartes V-6-2, votre paire d'As ne signifie plus grand-chose. Il est difficile d'abandonner cette main sur un tel flop. Voilà pourquoi jouer une paire de 2 est si mêlant pour un adversaire.

La main 2-2 est beaucoup plus facile à jouer. Si vous n'obtenez pas un autre 2 sur le flop, vous pouvez simplement abandonner cette main et en attendre une autre.

Ce n'est pas aussi facile lorsque vous avez A-A.

Le Texas Hold'em sans limite est spécifiquement un jeu de *cotes implicites* (*implied odds*), ce qui signifie que vous voulez faire de petits investissements au début de la main, dans l'espoir que cela soit rentable plus tard.

Tout comme les actions de premier ordre de Wall Street, la paire d'As en main est solide. Mais rappelez-vous que les valeurs mobilières peuvent chuter à tout moment, tout comme votre paire d'As.

Comparez cela à des actions cotées en cents, comme la main 2-2. Votre investissement modeste à faible risque peut se transformer en coup de circuit.

Les vrais bons joueurs comprennent la problématique associée au fait de jouer des paires élevées, comme A-A, R-R et D-D, et ils font les ajustements nécessaires. Au lieu de surévaluer leurs paires, ils jouent prudemment, dès qu'ils sentent le danger.

Si, par exemple, le flop est 6-7-8 et qu'il a deux As en main, le bon joueur ne misera pas tout de suite son tapis car il sait qu'il peut y avoir une quinte, un brelan ou même deux paires. Il peut choisir d'égaler simplement la mise d'un opposant. Si l'action commence à devenir trop forte, il songera sérieusement à abandonner afin d'éviter de se retrouver dans une situation où il pourrait tout perdre.

Un joueur novice pourrait se plaindre de sa malchance, lorsque sa paire d'As perd contre une main 10-9. Souvent ce n'est pas la malchance qui lui a fait perdre tout son argent. C'est plutôt son inaptitude à reconnaître le danger et la possibilité d'y laisser tous ses jetons, sur le flop.

Apprenez cette leçon par cœur et votre stratégie de jeu commencera à émerger.

Si vous affrontez un adversaire qui est incapable d'abandonner ses paires élevées après le flop, il serait sensé de jouer contre lui avec des paires plus faibles. Même si vous savez qu'il a probablement une main de choix, il s'agit tout de même d'un bon jeu.

En fait, avec une main comme 3-3, 4-4 ou 6-5 assorties, vous souhaitez qu'il ait une main forte. Ainsi, si vous êtes assez chanceux pour obtenir un excellent flop, ce pauvre type se retrouvera dans les câbles, en priant désespérément qu'un autre As le sauve.

C'est exactement ce que les excellents joueurs tenteront de faire contre un novice. Ils tenteront de faire un petit investissement avec de faibles mains, en espérant obtenir un bon flop et retirer tous ses jetons à la recrue.

Lorsque vous voyez, à la télévision, quelqu'un comme Gus Hansen, ou moi-même, jouer toutes sortes de mains qui *ne devraient pas* l'être, rappelez-vous que cette folie repose sur des principes.

Nous aimons jouer avec des actions cotées en cents qui ont du potentiel.

<u>Où s'asseoir à la table de poker ?</u>

Même si cela peut paraître ridicule pour certains, la question mérite d'être posée : «Quelle est le meilleur endroit pour s'asseoir à une table de poker ?»

Non, je ne parle pas de celle qui est près de la salle de bain ou du réfrigérateur, mais bien de la meilleure place que vous pouvez occuper à la table, relativement à certains types de joueurs.

Si vous avez déjà joué au poker, vous savez que les gens abordent le jeu de manières différentes, certains n'importe comment, d'autres très soigneusement. Vous avez vu des joueurs novices et expérimentés, de même que des compétiteurs agressifs et conservateurs. Éventuellement, vous les retrouverez tous à la table de poker et le fait de savoir quel siège vous offre le plus de chances de succès face à des joueurs peut améliorer votre jeu.

Pour choisir son siège, il existe une règle générale à laquelle vous devriez toujours vous conformer. Vous voulez garder les joueurs les plus difficiles à votre droite. Voici où vous devriez tenter de vous retrouver face à chaque type de joueur.

1. Joueurs conservateurs ou serrés.

Ces rocs ne sont pas vraiment une menace, donc vous ne devriez pas trop vous en préoccuper. Idéalement, cependant, vous préféreriez ces joueurs à votre gauche afin de pouvoir voler leurs blinds. S'ils poursuivent une main avec vous, vous pouvez être assuré qu'ils ont une bonne main.

Agissez en conséquence. Cela ne s'appliquerait pas toujours avec la prochaine catégorie de joueurs.

2. Les joueurs agressifs.

Voilà les joueurs dont vous devez vous inquiéter. Un joueur agressif à votre gauche signifie que vous êtes presque menotté. Vous devrez jouer un peu plus serré : avec ce joueur derrière vous, vous ne saurez ce qu'il fera qu'après avoir agi.

Vous aimez toujours mieux l'avoir à votre droite pour pouvoir le tenir à l'œil et pour le ramener à l'ordre lorsqu'il dépassera les limites ! En fait, vous pourrez utiliser votre position pour exploiter le joueur agressif.

Si vous avez le choix d'un siège et que vous êtes face à un joueur serré et à un joueur agressif, assoyez-vous entre les deux, et assurez-vous que le joueur serré se trouve à votre gauche.

Les choses se compliquent lorsque vous avez à choisir une place face à un joueur novice et à un joueur expérimenté. Vous voulez, dans une certaine mesure, que les deux se retrouvent à votre droite.

3. Les joueurs novices.

Si vous jouez avec une recrue, il y a de bonnes chances qu'il commette plusieurs erreurs et vous voulez être là lorsque cela arrivera. En vous assoyant à sa gauche, vous aurez la chance de voir s'il poursuit ou non la main. Parce que vous avez position sur lui, vous pourrez le manipuler plus facilement et lui faire faire encore plus d'erreurs.

Selon la règle générale, vous souhaitez que les joueurs que vous craignez se trouvent à votre droite. Et, même si vous ne craignez pas le novice, vous pourrez mieux le contrôler et l'exploiter si vous vous trouvez à sa gauche.

4. Les joueurs expérimentés.

Cela dépend du niveau de jeu de ces joueurs, mais en général, ils vous surprendront moins souvent qu'un novice. Ils jouent habituellement un bon style de base solide qui, s'il est plus prévisible, ne vous rendra pas la vie facile pour autant. Vous préféreriez un joueur solide, agressif et expérimenté à votre droite. Mais dans le cas d'un joueur expérimenté et serré, vous aimeriez mieux le voir à votre gauche au lieu du novice plus facilement exploitable.

Vous ne serez pas toujours en mesure de choisir votre siège, surtout dans les tournois. Il est donc important de savoir comment jouer contre les adversaires novice et agressif qui se trouvent à votre gauche.

Si le novice est à votre gauche, vous aurez moins de chances de l'exploiter. Vous n'aurez toutefois pas de changements majeurs à apporter à votre stratégie.

Avec le joueur agressif à votre gauche, par contre, vous devrez apporter des changements significatifs. Vous devez vraiment reconnaître le fait que la position représente de la puissance et que ce joueur la possède. Vous devez donc accepter votre faiblesse relative et jouer en fonction de celle-ci.

À l'occasion, tendez des pièges au joueur agressif en jouant lentement de fortes mains. Cela devrait vous aider à l'empêcher de vous ennuyer continuellement. De plus, adoptez un peu plus serré et attendez une meilleure situation, comme, par exemple, un changement de siège !

Le check-raise

Que vous jouiez au Hold'em limite, au *stud* à sept cartes, au Omaha ou même au Hold'em sans limite, le check-raise est une arme mortelle, s'il est bien utilisé.

En fait, le check-raise est un jeu par lequel vous passez votre tour en ne misant pas. Le terme check signifie que vous ne voulez pas miser et que vous n'avez probablement pas une bonne main. À la suite de votre check, et après la mise d'un autre joueur, vous sortez de nulle part avec l'augmentation de la mise du joueur précédent.

C'est évidemment un outil puissant et parfois aussi controversé.

Dans certaines parties maison, le check-raise est totalement défendu en raison de sa nature trompeuse. Mais il ne faut pas exagérer... Nous jouons au poker, ici !

Bien que ce jeu a toujours eu une connotation négative, je peux vous assurer que le check-raise est bénéfique.

Il ne devrait jamais y avoir de règles qui empêchent de bluffer ou de tromper pour optimiser ses profits. Cela fait partie du jeu. Si vous jouez avec vos amis en défendant l'utilisation du check-raise, vous ne faites que rendre le jeu moins intéressant et moins souple.

La clé, avec le check-raise, est qu'il vous permet de neutraliser un désavantage de position. Vous devez comprendre qu'il est mieux d'agir à la fin. Le check-raise est une arme qui peut aider un joueur hors position à se défendre.

Disons, par exemple, que vous jouez dans une partie sans limite où le check-raise est défendu. Vous vous retrouvez en tête-à-tête contre un adversaire sur la rivière et vous passez. Évidemment, votre adversaire est dans une très bonne position. Il peut miser ce qu'il veut sans avoir à craindre un check-raise. Cela vous place, vous, le joueur hors position, dans une situation désavantageuse et injuste.

Prenons le même exemple, mais maintenant le check-raise est permis. Après avoir passé sur la rivière, votre adversaire doit y songer deux fois avant de miser une faible main. Il devra se demander : « Est-ce une feinte et va-t-il poursuivre avec un check-raise ? »

Ajouter la crainte contribue à donner un peu de puissance au joueur hors position. Il est toujours préférable d'être en position, évidemment, mais avec l'option d'effectuer un check-raise, le jeu devient plus égalitaire.

Cette stratégie s'avère surtout efficace contre les adversaires agressifs, qui misent souvent lorsqu'un joueur donne un signe de faiblesse en passant. Le joueur agressif cherche toujours à voler des pots; donc, en effectuant un check, vous le laissez bluffer son argent avant de le surprendre avec une augmentation.

Voici six moyens d'améliorer votre jeu avec le check-raise :

1. Pour neutraliser un désavantage de position.

Sans le check-raise, vous êtes forcé de jouer encore plus serré lorsque vous êtes hors position.

2. Pour permettre de piéger un adversaire trop agressif et de le faire payer plus.

Contre des opposants agressifs, vous serez souvent en mesure de remporter quelques mises supplémentaires lorsqu'ils tenteront de voler le pot à la suite de votre check.

3. Pour ajouter des feintes à votre jeu.

Le check-raise est un excellent moyen de mélanger votre style de jeu et de devenir plus imprévisible. En certaines occasions, vous passerez avec une forte main alors que d'autres fois, vous miserez tout de suite. Le check-raise, ou son absence, fera réfléchir les autres.

4. Pour faire réfléchir vos adversaires qui se demandent s'ils doivent miser après votre check.

Une fois que vos adversaires savent que vous pouvez augmenter après avoir passé, ils seront tentés de passer à leur tour et cela vous permettra de voir une précieuse carte gratuitement.

5. Pour vous aider à inciter d'autres joueurs à l'abandon.

Dans les situations où vous voulez faire baisser le nombre de joueurs, un check-raise peut vous aider à inciter à l'abandon un joueur qui aurait égalé une mise, mais qui n'en égalerait pas deux.

6. Pour vous donner une autre option de bluff.

Parce que le check-raise est souvent considéré comme un outil puissant joué en association à une main puissante, vous pouvez aussi l'utiliser comme un bluff sophistiqué contre des adversaires qui réfléchissent.

Le check-raise rend simplement le poker plus amusant. N'y voyez donc rien de personnel si un ami vous piège ainsi. Cela fait partie du jeu.

La position à la table

Les gens me demandent souvent : «Comment joues-tu R-V de couleurs différentes?» Ma réponse est toujours la même : «Cela dépend.»

Le facteur le plus important, lorsqu'il s'agit de décider comment jouer une main de poker, outre la force de la main, est votre position à la table.

Les positions peuvent être divisées en trois catégories : les premières, celles du milieu et les dernières. À une table de neuf joueurs, les trois premiers sièges sont considérés comme les **premières positions**. Les trois suivantes, celles **du milieu** et les deux autres, ainsi que le joueur qui a le bouton, les **dernières**.

La meilleure position dans une main est celle du bouton. Lorsque vous jouez une main dans cette position, vous avez l'avantage de voir les actions de tous vos adversaires avant de décider ce que vous voulez faire. De plus, vous conservez cette arme mortelle jusqu'à la fin de la main.

N'est-ce pas agréable?

Pendant un instant, disons que vous ne jouez pas au poker, mais au black jack. À ce jeu, le donneur a immédiatement un énorme avantage car vous devez agir, tirer ou arrêter, avant qu'il ne le fasse.

Disons que vous avez 7-6, pour un total de 13, et que le donneur a un 8. Tous les livres vous diront que vous devez tirer sur un 13 contre un 8. Donc, vous donnez un coup sur la table et vous recevez un Roi. Vous êtes éliminé!

Le donneur tourne alors sa carte cachée et révèle un 5, ce qui signifie que vous aviez commencé avec le même 13. La différence est que le donneur n'avait pas, comme vous, à prendre le risque d'être éliminé. Ajoutez à cela que si vous aviez amélioré votre 13 jusqu'à 17, le donneur aurait eu encore une chance de vous battre s'il avait obtenu un 5, un 6, un 7 ou un 8.

Pourquoi est-ce que je parle de black jack dans un livre de poker ?

Parce que ces principes sont aussi valables lorsqu'il s'agit de votre position à la table de poker. Au Texas Hold'em, la forme la plus populaire de poker au monde, vous devez vous rappeler que vos deux cartes de départ rateront le flop plus souvent qu'elles ne le frapperont. Plusieurs situations où le pot sera disponible se présenteront et la première personne à miser aura de bonnes chances de le gagner.

Avoir une bonne position dans ces situations représente un grand avantage.

Disons que vous avez un autre joueur avec vous dans une main et que vous avez le précieux bouton du donneur. Le flop est constitué de A♣V♠4♦ et vous avez en main 10♥8♥.

Ça ne prend pas un scientifique de la NASA pour comprendre que le flop a complètement manqué votre main. Parce que nous savons que, plus souvent qu'autrement, il aura aussi manqué la main de l'autre joueur, vous pourriez tout de même remporter ce pot si vous êtes dans une position de puissance.

Si votre adversaire passe sur le flop, vous pouvez simplement miser ici pour bluffer. S'il n'a pas l'As et qu'il a un peu le sens du poker, il abandonnera sa main et vous gagnerez.

Maintenant, si votre opposant mise tout de suite sur le flop, vous pourrez prudemment abandonner et remettre votre bluff à plus tard.

Le seul moyen de neutraliser un joueur qui aurait position sur vous est l'utilisation du mortel check-raise. En adoptant cette tactique, l'adversaire passe avec une forte main, en tentant de la dissimuler, puis frappe sur votre mise avec une grosse augmentation. Ce n'est jamais agréable, lorsque cela se produit, mais tout le monde y passe, tôt ou tard.

Si le check-raise réduit sans aucun doute l'avantage du bouton, il est aussi très risqué et il peut être dispendieux. Pour qu'un check-raise fonctionne, vous devez savoir, ou être assez certain, que votre adversaire misera, si vous passez. Sinon, vous lui aurez donné une carte gratuite qui pourrait vous coûter le pot.

Il faut donc comprendre l'importance de la position dans votre succès et jouer plus serré dans les premières positions et plus agressivement dans les dernières. Si vous décidez de jouer une main dans les premières positions, ce doit être une main de choix.

Sur le bouton? C'est là que vous pouvez être vraiment créatif, ajuster vos exigences établies en matière de mains de départ et jouer avec puissance.

XXXII.

Stratégies de Hold'em limite dans les parties sans limite

Ne soyez pas comme un chien qui ne connaît qu'un truc. Apprendre à jouer à d'autres jeux que le Texas Hold'em sans limite fera de vous un meilleur joueur de poker et, ironiquement, un meilleur joueur de Hold'em sans limite aussi.

Bien que le Hold'em limite et le sans limite se jouent très différemment, vous pouvez utiliser des tactiques similaires dans les deux jeux. En fait, plusieurs armes du poker, qui s'appliquent au Hold'em limite, peuvent être très efficaces au sans limite, lorsqu'elles sont bien utilisées.

Regardons deux de ces jeux et voyons comment ils sont liés à chacune des parties.

Miser le flop

Au Hold'em limite, il est habituel, pour un joueur qui augmente avant le flop, de miser encore une fois sur le flop. Le but est de rapidement remporter le pot en espérant que l'adversaire n'a pas été aidé par les premières cartes communes.

Cela est aussi une arme efficace au Hold'em sans limite. Cependant, il existe des différences importantes.

Miser le flop au sans limite vous permettra de remporter plus souvent le pot, mais vous risquerez habituellement plus d'argent. Parce que, dans une partie Hold'em limite, les mises sont structurées en tranches de 10 $-20 $, ça ne vous coûtera que 10 $ pour tenter de voler le pot. Si la mise ne fonctionne pas, les dommages sont mineurs.

Au sans limite cependant, ce pourrait être beaucoup plus grave. Parce que vous pouvez miser la totalité de vos jetons en tout temps, vous risquez aussi tout votre argent si vous misez tous vos jetons sur le mauvais flop.

Pour éviter cette catastrophe, prenez une leçon des joueurs de Hold'em limite gagnants.

Au lieu de miser tout le pot dans une partie sans limite, misez entre le tiers et la moitié de celui-ci. Une mise de la moitié du pot aura généralement le même effet qu'une mise qui correspond au pot entier et elle vous coûtera moins cher si le bluff ne fonctionne pas.

Miser trois avant le flop

Lorsque vous regardez des parties de Hold'em limite à mises élevées, vous verrez souvent une augmentation avant le flop, suivie d'une autre augmentation. Ensuite, le pot est généralement joué en tête-à-tête avec le joueur qui a augmenté le dernier avant le flop et qui prend les devants.

Cela permet à celui qui avait misé trois d'obtenir le contrôle de la main et de montrer de la puissance. Si son adversaire rate le flop, l'agresseur peut souvent remporter le pot avec une autre mise sur le flop. Cette tactique fonctionne encore mieux si l'agresseur a, en plus, l'avantage de la position.

Voyons comment cela pourrait fonctionner au Hold'em limite.

Le joueur A augmente avec 7-7 et le joueur B, qui occupe la position du bouton, décide d'augmenter de nouveau, avec 5-5. Le flop est A-R-9. Le joueur A passe. Le joueur B mise et a l'avantage de la position. Maintenant, le joueur A ne peut qu'abandonner, en raison des dangereuses cartes sur la table. Donc, le joueur B remporte le pot avec une main plus faible.

Ce jeu fonctionne aussi bien au Hold'em sans limite, mais de façon très différente.

Lorsqu'un joueur mise trois au Hold'em limite, le premier à avoir augmenté va toujours égaler une autre mise pour voir le flop. Ce n'est pas le cas au sans limite.

Vous pouvez augmenter de plus d'une mise au sans limite. Donc, vous pouvez faire abandonner votre adversaire avant le flop.

Prenons un autre exemple, mais pour une partie sans limite.

Les blinds sont 10 $-20 $ et le joueur A augmente la mise à 60 $ avec, en main, une paire de 7. Cette fois, le joueur B, qui occupe la position du bouton et qui a, en main, A-R, augmente de nouveau la mise à 200 $. Le joueur A se retrouve avec une décision très difficile à prendre. S'il décide d'égaler et de voir le flop, il devra probablement abandonner, à la suite d'une mise importante, s'il ne reçoit pas son troisième 7.

Si le flop est D-10-4, le joueur A passera et le joueur B misera, disons, 300 $. Il est très peu probable que le joueur A choisisse d'égaler cette mise.

La différence majeure entre le Hold'em limite et le sans limite est le niveau d'agressivité préconisé sur le flop.

Parce qu'il est beaucoup plus risqué de miser après le flop, les joueurs de sans limite ont tendance à jouer avec plus de prudence. Ce faisant, ils laissent filer des pots qu'ils pourraient souvent gagner avec une mise.

Donc, comme si vous étiez dans une partie de Hold'em limite, gardez petits vos pots de sans limite, en diminuant le montant de vos mises. Cela réduira le risque associé au jeu périlleux du Hold'em sans limite.

Établir un bluff

L'une des plus graves erreurs commises par les joueurs novices est celle de bluffer dans des situations où cela ne peut fonctionner.

Je ne peux vous dire combien de fois j'ai entendu cette excuse : «Je devais essayer. Je ne pouvais pas gagner si je ne tentais pas de bluffer.» À cela je réponds : «As-tu déjà songé que tu ne pouvais peut-être pas gagner de toute façon?»

Des bluffs désespérés et inutiles vont drainer votre budget plus vite que Dracula ne viderait une poche de sang.

Il existe une solution facile… pour le poker.

Vous devez préparer le bluff en y pensant sérieusement, dès le début de la main. Effectuer un bluff efficace est similaire au fait de conter un mensonge élaboré.

Par exemple, disons que vous appelez votre patron pour lui dire que vous ne pouvez pas vous rendre au travail car vous êtes alité et malade. Mais, en fait, vous n'êtes pas à la maison et vous l'appelez de votre chic chambre d'hôtel de Las Vegas.

La première chose que le patron fera sera de chercher une faille dans votre histoire. Dans ce cas, lorsque son afficheur indiquera le code régional 702, comment allez-vous expliquer cela?

« Je vous croyais au lit et malade. Qu'est-ce que ce code régional 702 ?»

Votre réponse sera quelque chose de faible comme : «Euh, je ne sais pas.»

Votre bluff n'a pas fonctionné car il n'était pas bien préparé. Les supposés faits de votre histoire n'avaient aucun sens. Vous auriez dû raconter une histoire plus crédible et la couvrir avec des actions qui ne contredisaient pas ce que vous disiez, comme par exemple faire *69 pour bloquer l'identification de l'appel !

Regardons comment tout cela peut se rapporter à une main de poker.

Dans une partie de Texas Hold'em 5 $-10 $, avec 10♥V♥ en main, vous augmentez avant le flop et un joueur égale votre mise. Le flop est R♥9♥4♦ et vous misez 5 $ avec votre tirage à la flush et à la quinte. Votre adversaire augmente d'un autre 5 $ et vous égalez.

Le tournant est 7♦ Vous passez et votre adversaire mise 10 $. Bien sûr, vous égalez. Maintenant la rivière révèle un 2♣ ou, en termes de poker, une belle grosse brique !

Ce n'est tout simplement pas le temps de tenter un bluff.

Vous ne pouvez certainement pas gagner si vous passez, mais j'essaie de vous expliquer que vous ne gagnerez pas plus en misant. Votre mise n'a pas de sens. Ce serait un bluff inutile. Ne le faites pas.

Posez-vous cette question : Quelle feinte est-ce que j'essaie de faire en misant sur le 2♣ de la rivière ?

Si votre adversaire a un peu de jeu, il va égaler votre mise à l'instant. Parce que vous avez joué la main si prudemment jusqu'à la rivière, il est maintenant trop tard pour faire croire à une main puissante. Tout ce que vous avez démontré avec vos mises, c'est que vous n'avez pas une très bonne main.

Donc, comment faire pour qu'un bluff *fonctionne* ?

Il est primordial d'installer son bluff au début de la main. Jouez dès le départ de façon à faire croire aux autres que vous avez de très fortes cartes. Dans le scénario précédent, il y aurait eu plusieurs moyens de le faire :

1. augmenter de nouveau la mise sur le flop;
2. effectuer un check-raise sur le flop;
3. effectuer un check-raise sur le tournant.

Si vous aviez fait un de ces jeux et pris le contrôle de la main dès le début, votre mise sur la rivière aurait eu du sens.

L'une des facettes intéressantes du poker est qu'il y a tant de variables et tant de façons de jouer selon les situations. Si vous choisissez de faire un bluff, c'est parfait, mais installez-le dès le début. Autre aspect important, éliminez les bluffs désespérés sur la rivière et vous effacerez une importante faiblesse de votre jeu.

XXXIV.

Les dix plus grands mythes du poker

Tous ceux qui, comme moi, ont passé autant d'années dans le monde du poker, ont entendu toutes les théories, les rumeurs et les faussetés au sujet de ce jeu. Le poker est entouré de mythes et en voici quelques-uns des plus importants.

1.   Le poker est illégal.

Rien n'est plus loin de la réalité. En fait, le gouvernement américain reconnaît le poker comme un jeu d'aptitudes. Oui, il existe des endroits où jouer avec de l'argent est illégal, mais il n'y a rien d'illicite à jouer entre amis ou même à jouer au poker pour gagner sa vie.

2. Il faut plusieurs années pour apprendre.

Ce n'est pas vrai, du moins de nos jours. Aujourd'hui, grâce à des gens comme Doyle Brunson, qui a écrit *Super System*, c'est plus facile que jamais d'apprendre à jouer au poker à un niveau compétitif. Il existe aussi plusieurs livres, logiciels, DVD et autres outils d'apprentissage.

3. Le poker n'est qu'un jeu de bluff.

Non. En fait, c'est une des erreurs le plus souvent commises par les novices lorsqu'ils commencent à jouer. Les professionnels gagnent en optimisant leurs fortes mains tout en minimisant leurs pertes, lorsqu'ils doivent abandonner une main. Utilisé occasionnellement, le bluff est un outil beaucoup plus efficace.

116

4. C'est un jeu réservé aux hommes.

Si peu. Nous voyons de plus en plus de femmes, de niveau amateur ou professionnel, qui y jouent de nos jours. L'une des meilleures joueuses au monde, Jennifer Harman, est une gagnante régulière et l'une des plus grandes boursières du monde, alors qu'elle affronte des joueurs comme Chip Reese ou Phil Ivey.

5. Le poker en ligne est truqué.

Certaines personnes ont tendance à blâmer tout le monde, sauf elles. Avant l'arrivée du poker en ligne, on se plaignait des croupiers de casino. Le poker en ligne est devenu la nouvelle victime des joueurs qui aiment mieux blâmer leur ordinateur que leur manque d'aptitudes.

6. Le poker est un jeu d'argent et vous devez parier pour le rendre intéressant.

Trop souvent, le poker est confondu avec les mises. Oui, le poker est un jeu et oui, vous pouvez miser de l'argent. Mais vous pouvez aussi miser au Monopoly, à la marelle ou même à pile ou face. Je le sais : j'ai déjà parié en jouant les trois !

7. Le Hold'em sans limite est la forme de poker qui demande le plus d'aptitudes.

Il existe une forme de poker qui demande encore plus d'aptitudes : le pot-limite. Ce jeu donne aux joueurs solides un plus gros avantage car il enlève aux débutants le mortel tapis. Il demande aussi un jeu plus sophistiqué après le flop.

Si c'était le jeu qui était joué aux Championnats du monde, vous verriez de moins en moins d'histoires de Cendrillon à la table finale.

8. Ce n'est qu'un jeu de hasard.

Les gens croient encore à ces sornettes. Cette fausse conception vient des gens qui ne comprennent pas le poker ou qui n'ont pas encore trouvé le moyen de gagner.

Il y a des milliers de professionnels du poker talentueux dans le monde. Le poker se distingue des autres formes de paris rencontrés dans les casinos, comme les dés, le Reno et le *Let it Ride*. Je peux vous assurer qu'il n'y a pas de joueurs de *Let it Ride* professionnels.

9. Vous ne pouvez gagner dans les parties *low-limit*.

J'ai rencontré plusieurs personnes qui croyaient ne pas pouvoir gagner dans les parties *low-limit* car trop de joueurs pouvaient voir le flop et rester jusqu'à la rivière. Si ce type de partie augmentera certainement la fluctuation de vos jetons et vous donnera l'impression d'être moins en contrôle, il n'existe pas de partie plus profitable.

Si vous perdez dans ces parties, jouer à de plus hautes limites n'est pas la solution.

10. Vous devez avoir un visage impassible.

C'est probablement le plus vieux mythes de tous. Les gens croient qu'il faut un visage impassible pour gagner. Regardez-moi jouer à la télévision et vous verrez que je n'ai pas ce genre de visage. Habituellement, je plaisante et je prends toutes sortes d'expressions faciales.

Jouer en fonction du joueur

On entend souvent l'expression «jouer le joueur» au poker. Je veux partager avec vous sa signification et vous donner des conseils sur la manière de le faire.

Le légendaire champion de poker Doyle Brunson a déjà dit au sujet d'une partie de poker sans limite dans laquelle il avait joué : «Je pourrais gagner cette partie sans même regarder mes cartes.» Il n'était pas prétentieux ou irrespectueux vis-à-vis ses adversaires. Doyle avait simplement une confiance à toute épreuve dans son habileté à jouer les joueurs. Il pouvait si bien les lire que les cartes devenaient inutiles.

Évidemment, il n'aurait pas pu gagner si les autres avaient su qu'il ne regardait pas ses cartes privées, mais si Doyle jouait sa position de la bonne manière, il savait qu'il pouvait l'emporter.

Comment, demandez-vous, peut-on gagner au Texas Hold'em sans limite sans regarder ses cartes ? Ce n'est pas facile, mais laissez-moi vous donner quelques facteurs à analyser.

La position

La position est synonyme de puissance. Lorsque vous devez jouer vos adversaires, être en mesure de voir leurs actions avant d'agir est un immense avantage.

Lorsqu'ils passent, misez un peu ou bien misez plus que la valeur du pot. Ces actions vous donneront des renseignements primordiaux sur la force de leur main.

Le check de certains joueurs signifie qu'ils n'ont rien du tout. D'autres peuvent donner une indication révélatrice lorsqu'ils bluffent, comme, par exemple, miser plus que la valeur du pot. Si vous êtes au courant des tendances de vos adversaires, vous pourrez utiliser votre position pour leur voler des pots.

Lire les signes

La partie n'est pas facile, surtout si vous n'êtes pas un adepte du langage corporel. Cependant, c'est une technique qui s'apprend.

Votre cerveau analyse l'information comme un ordinateur. En étant concentré et en portant attention, vous obtiendrez de l'information sur les joueurs, sans en être conscient. La prochaine fois que vous verrez un adversaire miser d'une certaine manière, votre subconscient enverra un message à la partie consciente de votre cerveau; quelque chose comme : «Alerte! J'ai déjà vu ça et cela signifie qu'il bluffe.»

Lorsque vous demandez à une joueuse comme Jennifer Harman, à mon avis la meilleure au monde, d'expliquer une stratégie de jeu particulière, elle répondra probablement ceci : «Je ne sais pas, j'avais juste l'impression qu'il bluffait.»

La vérité est que, même si Jennifer ne connaît pas la raison exacte de son jeu, elle avait visé juste. Son subconscient lui signifiait que quelque chose était douteux dans la façon de miser de son adversaire.

Si vous êtes en mesure de lire les signes corporels qui révèlent la puissance de la main d'un opposant, il sera beaucoup plus facile de le battre. Imaginez ce que ce pourrait représenter le fait de savoir que, lorsqu'un joueur pousse ses jetons de la main gauche, il bluffe et que s'il les pousse de la main droite, il a vraiment une bonne main. Comment pouvez-vous perdre?

Cartes effrayantes

Doyle Brunson est un maître pour combiner le positionnement et l'habileté à deviner la puissance des mains adverses. Mais ce n'est pas tout. Doyle peut lire dans la tête des autres joueurs et deviner ce qu'ils ont ou, tout aussi important, ce qu'ils n'ont pas. Laissez-moi vous expliquer.

Si Doyle sait quel genre de main a un adversaire, il sera aussi capable de savoir quelles cartes sur la table vont l'effrayer.

Disons, par exemple, que Doyle égale la mise d'un joueur serré et conservateur qui avait augmenté d'une des premières positions. Doyle n'aura même pas à regarder ses cartes privées. À la place, il combinera sa position, les signes et les cartes communes pour battre son adversaire en jouant.

D'accord. Le flop est 8♥9♥7♠ et l'adversaire de Doyle mise la valeur du pot. En se basant sur les mains précédentes contre ce joueur, Doyle ne croit pas que ce dernier ait une main comme A-A, R-R ou D-D. Donc, sans même regarder ses cartes, il égale la mise.

Puis, le tournant tombe et c'est 10♥. L'opposant passe et Doyle peut maintenant voler le pot en faisant croire qu'il a une quinte ou une flush. Son adversaire ne peut égaler la mise.

Ce n'est qu'un exemple pour illustrer comment faire. Rappelez-vous, cependant, que pour pouvoir constamment manœuvrer vos adversaires, vous devez avoir la position, porter attention à leur langage corporel et aussi utiliser les cartes effrayantes de la table à votre avantage.

Cartes assorties et consécutives

Doyle «Texas Dolly» Brunson a changé la façon de jouer au poker lorsqu'il a écrit son livre *Super System*, il y plusieurs années. Dans cette légendaire bible du poker, Doyle a présenté quelques nouveaux concepts de poker qui, avant cela, n'étaient bien compris que de lui et de quelques autres joueurs professionnels.

Ceci se rapporte spécifiquement à l'un de ces concepts : comment jouer les cartes assorties et consécutives. Au temps où Doyle faisait la loi avec son style de jeu agressif, la plupart des autres joueurs jouaient très serré et ils attendaient de bonnes mains comme A-A, A-R ou R-D.

Lorsque Doyle a compris que ses adversaires ne jouaient jamais des mains considérées comme mauvaises, comme 6-7 assorties, il est devenu plus facile pour lui de lire ses opposants. Il savait que les petites cartes sur le flop n'aidaient probablement pas ces joueurs. Il savait aussi que ses adversaires avaient en main une paire ou peut-être deux cartes élevées, comme, par exemple, le grand séducteur (A-R). Avec ces renseignements, Doyle s'est bâti une réputation qui en faisait un des meilleurs joueurs.

Donc, pourquoi voudriez-vous jouer des cartes assorties et consécutives, comme 7♣8♣, si vous savez que vos adversaires ne jouent qu'avec de fortes mains ?

Parce que, au Hold'em sans limite, ce n'est pas ce avec quoi vous commencez qui compte, mais bien ce avec quoi vous terminez. Si vous avez en main de petites cartes assorties et consécutives et que vous pouvez voir le flop sans dépenser trop de jetons, il existe plusieurs avantages :

1. si vous êtes chanceux, avec votre main 7♣8♣, et que le flop est 4-5-6 ou 8-7-3, vous pourrez souvent piéger un adversaire qui a une paire en dessus comme A-A, R-R ou D-D;
2. cela vous rend plus imprévisible. Jouer des cartes basses donnera de la difficulté aux joueurs qui tentent de vous lire;
3. voici le meilleur : vous serez en mesure de bluffer plus souvent! Cela peut sembler étrange, mais pensez-y. Si vos adversaires se rendent compte que vous jouez toutes sortes de mains, vous pourrez les bluffer sur le flop, même si vous n'améliorerez pas votre main.

Par exemple, si vous jouez une main D-V assorties et que le flop est 4-5-6, vous pourriez tout de même gagner ce pot. Comment? Vos adversaires pourraient craindre de vous voir jouer encore avec de petites cartes. Le flop vous pourrait alors vous donner deux paires ou peut-être même une quinte. Même s'ils ont en main le grand séducteur, il se peut qu'ils abandonnent et vous laissent gagner.

Doyle parlait aussi du concept de suivre avant le flop avec des cartes assorties et consécutives, en ne faisant qu'égaler la mise du gros blind pour voir le flop sans payer beaucoup. Malheureusement, lorsque le livre a été publié, les meilleurs joueurs se sont aperçu que ces mises, avant le flop, signifiaient habituellement des cartes assorties et consécutives, parfois une petite paire et, rarement, une forte main comme A-A ou R-R pour tendre un piège.

Donc, mon conseil pour vous est d'élever votre jeu rusé d'un échelon.

De plus, si vous avez des cartes assorties et consécutives, faites parfois de petites augmentations. Ainsi, les gens ne sauront pas si vous avez A-A, A-D ou 6♦8♦. Le fait de mélanger votre style de jeu, en augmentant à l'occasion avec des cartes relativement faibles, assorties et consécutives, vous rendra dangereux et décevant. C'est exactement le genre de joueur que vous voulez être et que la plupart des personnes craignent.

Pour décider si le fait de jouer des cartes assorties et consécutives en vaut la peine, plusieurs choses doivent être analysées :

1. Votre nombre de jetons.

Si vous en avez peu, vous n'aurez pas la même cote implicite qu'avec beaucoup de jetons. Dans le premier cas, vous devez éviter ces mains et attendre des cartes plus élevées.

2. Le montant de la mise.

Vous ne pouvez égaler des augmentations avec des cartes assorties et consécutives si le montant de la mise correspond à un pourcentage de vos jetons trop important. Idéalement, vous voulez n'investir qu'un petit pourcentage lorsque vous voulez frapper un circuit.

3. Si vous ratez le flop, abandonnez !

Ne devenez pas entêté. Ce sont des mains risquées et, si le flop ne vous aide pas, vous devez abandonner et attendre d'avoir de meilleures chances.

Lorsque vous me verrez jouer à la télévision, vous remarquerez que je suis ce conseil. Vous me verrez souvent en jeu avec de drôles de mains, mais soyez assuré que ma folie repose sur des principes. Ajoutez à l'occasion les cartes assorties et consécutives à votre répertoire et vos résultats à long terme s'amélioreront.

C'est garanti.

XXXVII.

Tête-à-tête avec Jerry Buss

Au tout premier Championnat national de poker en tête-à-tête, mon adversaire de première ronde était nul autre que le propriétaire des Lakers de Los Angeles, le Dʳ Jerry Buss. Il était une des rares célébrités qui composaient un groupe difficile de 64 joueurs, dont faisaient également partie l'acteur James Woods et les joueurs professionnels Johnny Chan et Doyle Brunson.

Affronter Jerry en première ronde ne devait pas me causer de difficultés, mais il est très alerte à la table, et ce, en raison de nombreuses heures de poker de haut niveau jouées contre certains des meilleurs au monde.

Si vous avez vu cet épisode à la télévision, vous savez que j'ai fait une prédiction miraculeuse pour terminer la partie. Je n'ai pas seulement prévu précisément que le 8 de carreau tomberait sur le tournant, mais aussi que la dernière carte serait un Valet de carreau qui me donnerait une quinte flush pour battre la flush à l'As de Jerry.

Comment ai-je fait ?

Je n'en ai aucune idée. Les probabilités de prédire deux cartes consécutives sont très, très faibles et je vais risquer une autre prédiction : « Je ne le referai plus jamais. »

Cependant, ce n'est pas de cette main dont je veux parler.

Une main cruciale avait eu lieu plus tôt dans la partie. J'avais alors la chance d'éliminer Jerry du tournoi. À la place, j'ai préféré abandonner cette main. C'est un geste que je n'aurais peut-être pas fait dans la

plupart des situations, en raison des règles normatives en vigueur dans ces compétitions.

Aux États-Unis, tous les tournois majeurs partagent cette règle : vous ne pouvez pas dévoiler votre main à l'adversaire avant que l'action soit terminée. Sinon, vous recevrez une pénalité (habituellement 10 minutes hors du jeu pendant que vos jetons continuent d'être utilisés pour payer les antes).

Cependant, les règles de ce tournoi permettaient de révéler sa main en tout temps.

Pourquoi le faire, demandez-vous ? Parce que souvent, vous pouvez obtenir un signe de votre adversaire en observant sa réaction lorsqu'il voit votre main. Si vous lui montrez une meilleure main, il pourrait devenir nerveux. À l'inverse, s'il s'agit d'une main qu'il peut battre, il pourrait devenir plus détendu.

Donc, je me suis retrouvé dans une situation intéressante contre Jerry, lorsqu'il a misé le reste de ses jetons sur la rivière, avec une table finale de D-10-3-A-9. Jerry a d'abord passé. Puis, il a égalé la mise sur le flop. Lorsque l'As est tombé sur le tournant, nous avons tous deux passé. Sur la rivière, le 9 me donnait deux paires, des Dames et des 9, et Jerry a misé environ 8 000 $. Si j'égalais la mise avec mes deux paires et que je gagnais, c'était terminé. Si j'égalais la mise et que je perdais, je laissais Jerry revenir dans une partie que je dominais à ce moment-là.

C'est alors que j'ai décidé de me servir de la règle et de montrer ma main à Jerry.

Il a regardé mes deux paires et est resté calme. En fait, sa réaction en était plutôt une de soulagement.

Je me suis mis à parler à voix haute, comme je le fais souvent en jouant.

« Jerry, que veux-tu que je fasse maintenant ? » Sans trop hésiter, il a répliqué : « En fait, j'aimerais que tu égales la mise. »

Je l'ai cru. Il avait même un petit sourire au visage lorsqu'il m'a répondu. Tout me laissait croire qu'il me battait. Je ne pouvais ignorer cela. J'ai abandonné.

Une des plus grandes force de Jerry dans la vie, mais aussi sa plus grande faiblesse à la table de poker, est l'honnêteté. Il n'aurait pas été capable de me servir un tel mensonge sans se sentir coupable. Il est trop honnête !

J'ai finalement remporté cette partie un peu plus tard, avec ma quinte flush.

C'est alors que Jerry m'a dit qu'il n'avait qu'une paire de Dames lors de la fameuse main, mais en fait, ce n'était pas vrai.

« Donc tu as bluffé, Jerry ? Beau jeu ! » ai-je dit.

« Non, je n'ai pas bluffé. J'avais des Dames et des 10. », a répliqué Buss.

Comme je l'ai déjà dit, Jerry est un homme honnête. Il m'a menti pendant une fraction de seconde, il s'est immédiatement senti coupable et m'a tout de suite dit la vérité. Du moins, c'est ce que je croyais.

Lorsque j'ai finalement pu voir l'émission à la télévision, toutes mes suppositions se sont révélées exactes. Jerry avait effectivement des Dames et des 10.

La morale de cette histoire est que le niveau de complexité du poker dépasse largement le fait de simplement jouer les cartes reçues. Il faut aussi compter avec les gens et la compréhension de la nature humaine. Il faut savoir ce qui dérange les gens.

Malheureusement pour le Dr Buss, je le considérais comme un homme honnête et ma lecture en a été très exacte.

XXXVIII.

Pourquoi la maison gagne toujours

Le poker est très différent des autres jeux de casino.

Il faut d'abord comprendre que les géants de l'industrie ne bâtiraient pas constamment de nouveaux casinos luxueux si les parieurs gagnaient toujours à Las Vegas. Les jeux maison sont conçus pour que les casinos aient toujours le dessus sur les joueurs.

Donc, gardez en mémoire que vous n'aurez jamais l'avantage dans les jeux comme la roulette, les dés ou le *Let it Ride*. Même au pai gow, dont les probabilités de gagner approchent 50-50, la maison a toujours l'avantage.

Pourquoi ? Chaque fois que vous gagnez, vous devez payer une commission de cinq p. cent. Cela ne semble pas beaucoup, mais cela suffit pour donner l'impression aux milliards de touristes de Las Vegas qu'ils pourraient remporter un gros slot.

Pourquoi le poker est-il différent ?

Le casino n'est pas vraiment intéressé par qui gagne ou perd. Vous ne jouez pas contre la maison. Vous ne faites que lui louer un siège.

Les joueurs de poker devraient considérer la maison comme un pro-priétaire et non comme un adversaire. Selon les casinos, votre loyer est payé d'une de ces deux manières : la commission ou ce qui est appelé «*la collecte.*»

Dans une partie à commission, la maison prend un pourcentage du pot de chaque main. Une commission typique pour une partie de Hold'em limite 5 $-10 $ sera d'environ cinq p. cent, ou un maximum de

3 $. Si le pot contient 20 $, la maison prendra 1 $ de commission. Si le pot est de 60 $ ou plus, elle prendra la commission maximale de 3 $.

Dans les parties plus élevées, la maison fait une **collecte**. Cela signifie qu'à chaque trente minutes, elle demandera un certain montant à chaque joueur. Dans une partie 10 $-20 $, la collecte pourrait être d'à peu près 5 $ par joueur, par trente minutes.

Vous devrez apporter certains petits ajustements à votre stratégie, en fonction de la manière choisie par le casino. En effet, dans une partie où l'on collecte, le nombre de petits pots remportés n'a pas d'importance : vous payez un montant fixe à toutes les trente minutes.

Par contre, dans une partie à commission, plus vous gagnez, plus vous payez pour votre siège. De façon très générale, vous devriez jouer de façon plus serrée dans une partie à commission et un peu plus agressivement dans une partie à collecte.

De plus, tentez d'être impliqué dans des pots à plusieurs joueurs. Si vous jouez dans une partie à commission qui est jouée serré, plusieurs des mains que vous jouerez le seront en tête-à-tête ou à trois joueurs. Cela n'est pas ce que vous souhaitez.

Voici un exemple extrême : imaginons que vous jouez face à un seul adversaire. Si la maison prend une commission de 3 $ par main, il est très probable que vous et votre opposant en sortirez perdants. En une heure, environ 60 mains seront jouées. Avec une commission de 3 $, cela signifierait que vous paieriez à deux une somme de 180 $ de l'heure !

Comparez cela à une collecte où la maison exigerait 10 $ de l'heure à chaque joueur.

Je crois que vous devez voir quelle structure est la plus sensée.

Comprenez aussi ceci : si vous jouez à une table avec une commission élevée, il est très important de trouver une partie avec beaucoup d'action où plusieurs joueurs égalent la mise avant le flop. S'il s'agit d'une partie serrée, dont les pots surtout joués en tête-à-tête, c'est probablement une proposition perdante pour tous les joueurs.

De plus, dans une partie à commission élevée, rappelez-vous de jouer plus serré et plus passivement afin d'encourager les autres à rester dans la main. À l'inverse, lorsqu'il y a collecte, même si le jeu est très serré, vous pouvez être agressif puisque vous ne serez pas pénalisé si vous gagner plus de pots que les autres.

Si vous avez le choix, vous devriez toujours opter pour la partie à collecte. Bien sûr, vous devrez parfois payer même si vous n'avez pas remporté une seule main, mais à long terme, vous économiserez beaucoup d'argent.

Gérer son budget

Prendre de bonnes décisions en fonction de votre situation financière est peut-être l'élément le plus important lorsque vous jouez au poker. Vous serez souvent à la merci des cartes car il existe sans conteste un élément de chance au poker. Les cartes décideront de votre sort.

Pour cette raison, vous devriez établir des critères stricts qui définiront la somme que vous voulez risquer et les limites aux parties que vous jouerez.

Disons, par exemple, que vous avez mis 1 000 $ de côté pour votre budget de poker. Vous devez savoir quelles parties sont à votre portée, et ce, selon votre budget et vos aptitudes.

Voici deux questions importantes que vous devrez vous poser :

1. Ai-je assez d'aptitudes pour battre ces joueurs ?

En général, plus les limites sont hautes, plus les joueurs sont bons. Donc, si vous êtes un débutant, il serait sensé de commencer au bas de l'échelle, dans les parties où les limites sont les moins élevées.

2. Quelle importance a ce budget de 1 000 $ pour moi ?

Si cette somme constitue toutes vos économies et que vous ne pouvez la perdre, vous ne devriez pas la jouer au poker. Peu importe votre budget, dame chance peut vous l'arracher très rapidement. Cependant, certaines précautions peuvent vous éviter de tout perdre.

Dans la plupart des livres sur le poker, les auteurs indiquent que 300 fois la mise du gros blind constitue un budget adéquat. C'est assez sécuritaire. En fait, si vous êtes un joueur solide qui gagne une mise substantielle chaque heure, il y a seulement 3 p. cent de chances de tout perdre si vous jouez dans les limites adéquates.

Si vous avez un budget de 1 000 $, les limites seraient 1 $-2 $ et 2 $-4 $. Si vous voulez être en sécurité, la partie 1 $-2 $ vous donne un budget de 500 mises élevées (1 000 ÷ 2 = 500). Si vous êtes un peu plus téméraire, la partie 2 $-4 $ ne vous donne que 250 mises élevées (1 000 ÷ 2 = 250).

Maintenant, si vous croyez que vos aptitudes sont assez bonnes pour vous permettre de l'emporter à la table 1 $-2 $, vous pourriez tenter votre chance à la partie 2 $-4 $. Lorsque je dis cela, il est important de comprendre que je ne vous dis pas de risquer tout votre 1 000 $.

À la place, vous pourriez investir 400 $ dans la partie 2 $-4 $. Si vous perdez, vous auriez encore le budget pour revenir à l'autre partie avec vos 600 $, lesquels correspondent à 300 mises élevées. La clé, pour survivre, est d'avoir suffisamment de discipline pour faire fi de votre fierté, faire votre chemin de croix et changer de partie si les choses ne fonctionnent pas.

En passant, le manque de discipline n'est pas seulement l'apanage exclusif des amateurs. Certains des meilleurs joueurs de poker au monde sont parfois sans le sou. Ils le seront encore souvent s'ils n'apprennent pas à gérer leur budget.

Par contre, il y a aussi plusieurs professionnels qui combinent le jeu solide et la bonne gérance du budget.

Vous en retrouverez plusieurs dans les plus importantes parties au monde, au Bellagio de Las Vegas.

Et, au cas où vous auriez l'idée de jouer dans une partie mixte de 4 000 $-8 000 $ avec les meilleurs au monde, vous devrez avoir un budget d'au moins 2,4 millions de dollars pour avoir une chance. Même si vous êtes le meilleur joueur au monde, si vous entrez dans ce match avec *seulement* 500 000 $, vous perdrez tout, dans la plupart des cas.

Si vous avez appris au moins une chose jusqu'à maintenant, c'est qu'il est important de prendre votre temps, de jouer de façon sécuritaire dans la mesure du possible et de ne pas être pressé de jouer en fonction de limites toujours plus élevées.

Vivre la vie d'un joueur de poker sérieux est déjà très stressant. La dernière chose que vous voulez faire est d'ajouter la pression financière à tout cela.

XL.

Mathématiques du poker et probabilités conditionnelles

Comprendre la relation entre le poker et les mathématiques ne demande pas une maîtrise. En fait, si vous avez réussi votre troisième année et que vous êtes capable de multiplier et de diviser, tout ira bien.

Les principaux aspects des mathématiques du poker consistent en la capacité de calculer les probabilités qu'une carte vienne aider votre main et les chances qu'a votre adversaire d'avoir une main donnée.

Disons, par exemple, que vous savez qu'un joueur n'augmente la mise qu'avec A-A, R-R ou D-D, alors qu'il se trouve dans les premières positions. Maintenant, supposons que ce joueur augmente la mise et que vous avez en main R-R, une excellente paire.

En tentant de savoir si vous avez ou non la meilleure main, vous concluriez que la probabilité est de 50-50. Si votre adversaire a les deux autres Rois, c'est l'égalité. Donc, cela laisse les paires d'As et de Dames. Les As vous battent, les Rois causent l'égalité et vous battez les Dames, pour le moment.

Maintenant, supposons que le même joueur, dans la même position, serait du type à augmenter avec *n'importe quelle* main de départ. Dans ce cas, les chances que votre main R-R soit la meilleure sont de près de 99 p. cent.

C'est une vue simpliste des probabilités conditionnelles, bien sûr. Prenons un exemple plus complexe.

Disons que vous êtes à la table finale d'un tournoi de Texas Hold'em sans limite et que vous avez reçu A-A. Le joueur à votre droite décide

de miser son tapis avec une énorme augmentation et vous décidez de simplement égaler cette mise en espérant qu'un autre joueur reste en jeu.

Puis, à votre grande joie, un professionnel de haut niveau égale lui
aussi la mise, vous indiquant qu'il a aussi une bonne main de départ. Le
flop tombe 6-6-4. Le professionnel passe et vous décidez de ruser en
faisant de même.

Le tournant donne un autre As et vous vous retrouvez avec une
puissante main pleine. Le professionnel fait une petite mise et, encore
une fois, vous décidez de sous-jouer votre main en ne faisant qu'égaler.
La rivière donne un autre 6 pour une table finale 6-6-4-A-6.

Le professionnel passe et c'est votre tour à agir. Voici l'impasse :
vous savez qu'il n'aurait pas égalé la mise sans avoir au moins un As en
main. Par contre, il pourrait effectuer un check-raise qui vous coûterait
tous vos jetons, s'il a en main le dernier 6, donc la combinaison la plus
forte.

Parce qu'il ne reste qu'un 6 et un As dans le paquet, les probabilités
sont de 50-50, non ?

Dans les tournois, où il est important de survivre, il serait sensé de
passer, au cas où le professionnel tenterait de vous piéger avec un carré.

Selon les probabilités, il y autant de chances qu'il ait un As qu'un
6. Pas si vite. Regardons de plus près cette main, en tenant compte de
la situation générale. Pour le professionnel, le fait d'effectuer une
augmentation en misant tous ses jetons, alors qu'il occupe cette position, ne signifie-t-il pas qu'il a plus de chances d'avoir en main un As
et non un 6 ?

Allons plus loin.

Si le professionnel a augmenté avec un 6 en main, quelle serait son
autre carte ? Ce ne peut être un 6 car il y en a trois sur la table. Cela
laisse A-6 comme seule possibilité. De plus, vous devrez maintenant
vous demander si, avec un carré sur la rivière, il pourrait faire un check
au lieu d'une mise.

C'est aller un peu loin. Si vous analysez les probabilités conditionnelles, dans cette situation particulière, il serait très surprenant que le

professionnel ait le dernier 6. En fait, la probabilité de 50-50 commence plus à ressembler à 99-1 en votre faveur. J'irais même jusqu'à dire que, si c'est vraiment un joueur professionnel, les chances qu'il ait un 6 sont nulles.

L'une des plus grandes erreurs que font les joueurs, lorsqu'ils tentent de calculer les probabilités, est d'oublier de considérer les probabilités conditionnelles.

Plus vous en savez sur les tendances de votre adversaire, plus précisément vous pourrez calculer les probabilités de ce qu'il a. Rappelez-vous, ce n'est pas tout de calculer ce que pourraient être les cartes de votre adversaire. Il faut aussi considérer sa manière de les jouer.

XLI.

Chances de pot

Lorsque vous regardez le poker à la télévision, vous entendrez souvent les termes *chances de pot*. Qu'est-ce que cela peut bien signifier ? J'espère qu'après avoir lu ce livre, vous saurez ce que c'est et, qu'en plus, vous serez en mesure de les calculer rapidement pour les appliquer à votre jeu.

Une simple définition générique des **chances de pot** serait « les chances que vous donne le pot en comparaison à la mise demandée ».

Par exemple, s'il y a 500 $ dans le pot et que votre adversaire a misé 100 $, vos chances de pot seraient de six contre un. Pourquoi ? Parce qu'il y a déjà 500 $ dans le pot et que votre opposant a ajouté 100 $ pour faire un total de 600 $. En raison du 100 $ que vous devez ajouter pour rester en jeu, vos chances de pot sont de six contre un.

Assez simple, n'est-ce pas ?

Comment appliquer cette théorie à une main de poker ? Voici comment calculer vos chances de pot, les comparer avec les chances d'avoir votre main et, enfin, utiliser cette information pour prendre une décision éclairée quant à savoir si vous devez abandonner ou non la main.

Première étape : calculez les chances de pot

C'est la portion la plus facile. Vous comptez ce qu'il y a déjà dans le pot et vous ajoutez cela à la valeur de la mise demandée. Ensuite, vous comparez cette somme à celle que votre adversaire a misée. Par exemple,

s'il y a 200 $ dans le pot et que votre adversaire a misé 20 $, vos chances de pot seraient de onze contre un (220 $/20 $).

Maintenant que vous connaissez vos chances de pot, il est temps de décider si vous devez payer ce prix pour continuer.

Étape 2 : calculez vos chances réelles

Cela peut être un peu plus difficile dans certaines situations. Vous pouvez trouver un tableau de ces chances dans presque tous les livres de poker disponibles. Une autre option pourrait être de trouver un logiciel de simulation qui calculera les chances pour vous. Mais, parce que vous ne pourrez évidemment pas avoir accès à un livre ou à un logiciel à la table de jeu, voici comment calculer vos chances d'avoir une main lorsque vous jouez.

La première chose à faire est de compter vos sorties, ce qui signifie le nombre de cartes restantes qui pourraient améliorer votre main. Puis, comparez ce nombre avec le total de cartes non vues dans le paquet. Voici un exemple.

Disons qu'il y a sur table R♣7♠6♦2♥ et que vous avez en main 8♥9♥. Avec une carte à venir sur la rivière, vous avez huit sorties : les quatre 5 et les quatre 10 restants qui vous donneraient tous une quinte.

Il y a 52 cartes dans un paquet. Parce que vous connaissez vos deux cartes privées et les quatre communes sur la table, il en reste 46 inconnues et non vues. De ces 46 cartes, huit vous donneront une quinte gagnante et 38 vous feront rater. Donc, les chances réelles de quinte sont de 4,75 contre 1 ($38 \div 8 = 4{,}75$ contre 1).

Parce que vous savez que les chances de pot sont de 11 contre 1 et que vos chances réelles d'améliorer votre main sont de 4,75 contre 1, vous pouvez constater que vous obtenez un très bon retour sur votre investissement. Vous devriez égaler la mise. Toutefois, s'il n'y avait que 20 $ dans le pot et que votre adversaire avait misé 20 $, les chances de pot auraient été de deux contre un. Ce n'aurait pas du tout été une bonne décision d'égaler la mise. Dans ce dernier cas, même si vous aviez huit sorties, le bon choix aurait été d'abandonner.

Le but au poker est clair et simple. Ce n'est pas le nombre de pots que vous gagnez qui est important. Le but est de prendre de bonnes décisions d'investissement, tout comme une entreprise. En comprenant le concept des chances de pot, vous pouvez prendre des décisions éclairées lorsqu'il est temps de savoir si c'est un bon investissement à long terme de poursuivre ou non une main.

Tout comme à la Bourse, si vous prenez des décisions judicieuses à court terme, vous ferez un bon profit à long terme.

XLII.

Jouer doucement correspond à tricher : jouez à fond ou ne jouez pas

Ce que je vais vous dire pourrait vous surprendre. Vous trichez peut-être sans le savoir.

Si vous jouez au poker avec de l'argent et que vous donnez des chances à l'un de vos amis, vous trichez face à vous-même, votre ami et tous les autres joueurs de la partie. Je comprends l'impact de ce commentaire, mais c'est tout à fait vrai.

Dans le monde du poker, nous avons un terme pour ce genre de jeu. On appelle cela «jouer doucement». Lorsque des joueurs sont des amis, des époux, des parents ou simplement des tricheurs, et qu'ils ne misent pas les uns contre les autres, ils jouent doucement.

Ce style de jeu détruit l'intégrité du poker et lui est préjudiciable.

Je comprends que plusieurs joueurs ne savent pas que ce comportement est contraire à l'étiquette. Plus souvent qu'autrement, jouer doucement (ne pas confondre avec *sous-jouer*) est fait de manière innocente et sans vouloir causer de tort. Il peut s'agir d'un homme courtois qui ne veut pas prendre le dernier 20 $ d'une dame ou d'un joueur qui ne veut pas augmenter son ami car ce dernier perd beaucoup d'argent.

Si vous êtes si affecté par votre ami qui perd de l'argent ou si vous tentez d'obtenir un rendez-vous en ne misant pas contre une femme qui vous plaît, essayez plutôt de les inviter à souper après la partie. La gentillesse et la compassion n'ont pas leur place à la table de poker. Je plaisante un peu, mais je crois que vous comprenez mon point de vue.

Le sous-produit non intentionnel du fait de jouer doucement face à un ami affectera tous les autres joueurs à la table. Par exemple, disons que vous et un ami vous rendez à la table finale d'un tournoi de Texas Hold'em sans limite, qui prévoit des bourses pour les cinq premiers. Il reste six joueurs, dont vous et votre ami. Rappelez-vous, le prochain joueur éliminé n'obtient pas de bourse. Tout le monde souhaite voir l'élimination d'un joueur pour être assuré de toucher une bourse.

Comment régiront les autres joueurs si vous jouez doucement contre votre ami ?

Ce faisant, vous trichez contre tous les autres joueurs de la table. Ce n'était peut-être pas intentionnel, mais l'ignorance de cette règle pourrait vous entraîner de nombreux ennuis, si vous vous faites prendre. Le fait de jouer doucement dans un tournoi entraîne des pénalités sévères, et vous et votre ami pourriez même être disqualifiés.

Le poker n'est pas un jeu d'équipe. C'est chacun pour soi. C'est tout à fait correct d'encourager vos amis et d'espérer qu'ils fassent bien, mais lorsqu'il est temps de jouer, vous devez tout donner.

Individuellement, bien sûr.

J'ai vu trop de pactes entre joueurs finir en pagaille. Je me souviens d'une femme et de son mari qui jouaient ensemble. Ils s'étaient entendus pour ne pas miser ou augmenter l'un contre l'autre. Lorsque la dame a perdu un pot contre un autre joueur parce que le mari n'avait pas augmenté avec une main qui le demandait, elle l'a apostrophé.

« Mais chérie, je croyais qu'il ne fallait pas s'augmenter. »

« Oublie ça, imbécile, donne-moi ton meilleur jeu ou tu dormiras dans le salon. »

Des arrangements comme celui-là finissent toujours mal. Afin de connaître un bon rendement en toute honnêteté, il vous faut jouer dur contre tous les joueurs. Cela inclut grand-maman, grand-papa, tante Alice et le petit Antoine.

Je me demande vraiment, si vous ne pouvez pas faire un check-raise à votre mère, quel genre de joueur êtes-vous ?

La plupart du temps, l'intention des gens qui jouent doucement n'est pas mauvaise. Mais vous devez être conscient qu'il y a des serpents et que vous devez les reconnaître avant qu'ils ne se liguent contre vous.

Si vous jouez en ligne et que vous voyez quelque chose de louche, envoyez un courriel au service à la clientèle pour que le site procède à une enquête. Dans les sites réputés, un représentant analysera votre plainte en regardant les mains en question, de même que l'historique de mise des suspects. Si des mises douteuses sont détectées, les tricheurs seront bannis du site et vous recevrez probablement un remboursement pour l'argent que cela vous a fait perdre.

Si vous voyez quelque chose d'étrange dans une vraie partie, avertissez le responsable immédiatement et demandez-lui d'enquêter.

<u>Créer un tournoi de poker maison</u>

Avant de décider d'entrer dans le monde des tournois impliquant des millions de dollars, vous devriez parfaire votre jeu avec des amis, à la maison. Vous devrez seulement avoir des cartes, des jetons, une table et, évidemment, des amis.

Bien sûr, si vous voulez être un bon hôte, vous pouvez fournir des collations et des breuvages.

Selon le budget de vos invités, vous devez d'abord décider du coût de l'inscription au tournoi. Vous pouvez jouer pour aussi peu que la fierté ou pour autant que 100 $ par personne. Sans surprise, le niveau d'émotion est plus important lorsque vous jouez avec de l'argent. Une inscription à 20 $ par tête devrait satisfaire l'esprit de concurrence des participants, en plus d'assurer une assez bonne bourse.

Une fois le prix d'entrée établi, la prochaine étape sera de faire tirer les sièges. Si vous avez dix joueurs, prenez dix cartes de valeurs différentes, de l'As au dix, et laissez vos invités en piger une qui correspondra à leur siège.

Puis, décidez du nombre de jetons avec lequel commencer, de la structure des blinds, de la longueur des rondes et, finalement, des bourses. Pour maximiser le plaisir, voici ce que je suggère.

1. Jetons de départ.

Donnez 10 000 $ en jetons à chaque joueur et rappelez-vous, vous n'avez pas à jouer vraiment pour 10 000 $ pour avoir autant de jetons. Donnez à chaque joueur les jetons suivants : un de 5 000 $, trois de 1 000 $, deux de 500 $ et dix de 100 $.

Si vous n'avez pas assez de jetons, faites une autre combinaison. Avoir des jetons de quatre couleurs différentes contribuera au maintien de la rapidité du jeu.

2. Structure des blinds.

Assurez-vous de commencer avec des blinds plutôt bas pour que tout le monde puisse jouer assez longtemps. Je vous suggère d'utiliser cette structure :

> **Ronde 1 :** petit blind de 100 $ et gros blind de 200 $
> **Ronde 2 :** petit blind de 200 $ et gros blind de 400 $
> **Ronde 3 :** petit blind de 400 $ et gros blind de 800 $
> **Ronde 4 :** petit blind de 800 $ et gros blind de 1 600 $
> **Ronde 5 :** petit blind de 1 000 $ et gros blind de 2 000 $
> **Ronde 6 :** petit blind de 1 500 $ et gros blind de 3 000 $
> **Ronde 7 :** petit blind de 2 000 $ et gros blind de 4 000 $
> **Ronde 8 :** petit blind de 3 000 $ et gros blind de 6 000 $

Selon le temps disponible et le niveau que vous souhaitez jouer, vous pouvez ajouter ou retrancher des rondes. Plus il y a de rondes, plus il faut d'aptitudes pour l'emporter.

3. Durée des rondes.

La meilleure façon est de choisir une limite de temps. Des rondes de dix ou quinze minutes devraient convenir. Une autre option est de faire monter les blinds à chaque tour de table. Par exemple, si vous commencez avec le bouton du donneur au siège 1, chaque fois que le bouton y revient, augmentez les blinds. Si le siège 1 est éliminé, augmentez-les lorsque le bouton revient au siège 2.

Je préfère cette méthode car elle permet d'accélérer les choses vers la fin du tournoi. Les joueurs éliminés n'ont donc pas à attendre trop longtemps avant de rejouer.

J'ai joué dans plusieurs parties maison et il n'y a jamais eu un seul tournoi. Tout le monde avait hâte de recommencer. Plus vous augmentez rapidement les blinds, moins les joueurs en attente auront le temps de vider votre réfrigérateur !

4. Butin des gagnants.

Vous devez choisir comment diviser les sommes d'argent, s'il y a lieu. Habituellement, trois options se présentent : le gagnant remporte tout, les deux ou les trois premiers sont payés.

Si vous avez dix joueurs qui mettent chacun 20 $, vous aurez un total de 200 $. La meilleure structure pour que vos invités ne dépensent pas trop est de payer les trois premiers. Le gagnant obtient 50 p. cent de la bourse totale, soit 100 $. Le finaliste remporte 30 p. cent ou 60 $ et le troisième rang rapporte 20 p. cent ou 40 $.

La meilleure façon de choisir la structure est de faire voter les joueurs sur les trois options.

Rappelez-vous : lorsque vous organisez un tournoi de poker, votre tâche principale est de vous assurer que tout le monde soit heureux et passe du bon temps.

Mais si vous avez une chance de remporter tout l'argent…

XLIV.

Poker en tête-à-tête

Le Championnat national de poker en tête-à-tête fait jouer 64 des meilleurs joueurs de poker au monde les uns contre les autres, dans un format divisé en rondes. J'adore ce tournoi, car je crois que le poker en tête-à-tête est celui qui récompense le plus les aptitudes.

D'une certaine façon, ce genre de poker vous permet de plus vous concentrer sur votre adversaire que sur les cartes que vous avez reçues. Le but est de trouver les faiblesses de votre opposant et de les exploiter. En même temps, vous tentez de cacher votre stratégie pour qu'il ne réussisse pas à vous lire.

Dans ce genre de confrontation, il y a une règle absolue : vous devez vraiment aller de l'avant et combattre. Le jeu conservateur n'est pas du tout efficace en situation de tête-à-tête. Dans une partie à 9 ou 10 joueurs, vous pouvez attendre les mains de choix pour jouer. Mais en tête-à-tête, vous devez baisser considérablement vos exigences quant aux mains de départ. En fait, la plupart des experts de Hold'em limite considèrent que vous devriez jouer plus de 80 p. cent des mains que vous recevrez en tête-à-tête. Dans les parties à neuf ou dix joueurs, vous ne devriez jouer que 20 p. cent des mains. C'est aussi vrai au Hold'em sans limite, mais le pourcentage pourrait être plus bas.

La principale raison qui explique pourquoi, dans un tête-à-tête, vous devez encore plus vous investir, est le fait que vous êtes dans l'obligation de payer un ante à chaque main. Le joueur qui a le bouton du donneur doit payer le petit blind et l'autre le gros.

En passant, c'est la seule situation de Hold'em où le bouton est obligé d'agir le premier. Après le flop, le jeu redevient normal et le bouton agit en dernier jusqu'à la fin.

Le meilleur moyen d'améliorer votre jeu en tête-à-tête est de plonger et de jouer. Vous pouvez le faire en ligne sur plusieurs sites gratuits ou payants, si vous avez le goût du risque. Bien sûr, vous pouvez aussi vous exercer avec vos amis.

Améliorer votre jeu en tête-à-tête aura un effet positif sur votre niveau général et ce, même à une table pleine. Les décisions que vous devez prendre en tête-à-têtc sont souvent beaucoup plus complexes que celles qui doivent être prises en situation de table pleine. Vous exercer à faire des choix difficiles vous permettra de réduire les décisions courantes à ce qu'elles sont vraiment — la routine. Imaginez que vous vous exercez au basket-ball avec un petit panier. Lorsque vous y serez habitué, le panier de taille normale ne vous causera plus d'ennuis.

En tête-à-tête, votre objectif principal est de vous concentrer sur le comportement de votre adversaire. Joue-t-il de manière agressive ou faiblement ? Bluffe-t-il trop ou mise-t-il seulement lorsqu'il a une bonne main ? Plus vous aurez de réponses, plus le profil de votre opposant sera complet.

Après avoir établi ce profil, vous devez opter pour une stratégie qui exploitera le plus possible les faiblesses de l'autre joueur. Par exemple, s'il abandonne trop souvent sur le flop, vous devriez bluffer plus souvent sur le flop. Ou, s'il abandonne trop souvent avant le flop, vous devriez augmenter plus souvent au même moment. En revanche, si l'adversaire égale trop souvent la mise, vous devriez bluffer moins souvent et miser vos piètres mains avec plus d'autorité.

Un autre facteur important doit être pris en considération : vous-même.

Ne devenez pas un joueur prévisible que l'opposant sera en mesure d'exploiter. Vous ne voulez pas jouer chaque main de la même façon. Utilisez toutes les armes de votre arsenal : le check-raise, le jeu lent, l'augmentation d'une augmentation, l'augmentation en bluffant sur le

tournant et même le «*smooth call*» (ne faire que suivre malgré une bonne main) sur le flop. C'est ce qu'on appelle **bien mélanger**. Cela permet de faire constamment réfléchir votre adversaire et c'est exactement ce que vous voulez.

Voici une dernière observation sur ce jeu. Vous devez éviter d'être en tête-à-tête avec une stratégie prédéterminée. Avant de savoir comment joue votre adversaire, votre stratégie ne vaut rien. Il est important de pouvoir s'adapter rapidement aux manœuvres de l'opposant.

Les dessous du poker en tête-à-tête

Il existe plusieurs différences entre le poker tête-à-tête et les parties plus communes qui sont jouées avec six à neuf joueurs. Les mains que vous devrez jouer et la façon de le faire sont très différentes.

Voici quelques points à surveiller en tête-à-tête.

Qui est l'agresseur ?

Dans ce genre de partie, le joueur le plus agressif finira généralement par l'emporter. La raison en est assez simple. Parce qu'il est difficile d'obtenir un bon flop, les vraies aptitudes sont démontrées lorsque les deux joueurs n'ont absolument rien après les trois premières cartes communes. Le joueur qui gagne ces batailles de tranchées remportera généralement la guerre.

Quel joueur égale la mise ?

Si vous vous retrouvez toujours dans des situations où vous êtes face à la mise d'un adversaire, il est beaucoup plus difficile de prendre de bonnes décisions. Vous voulez donc être celui qui mise, pas celui qui égale la mise.

Passer et égaler peuvent constituer de bonnes stratégies pour piéger un adversaire. Cependant, si devez toujours deviner la force de la main de l'opposant, vous vous tromperez trop souvent.

Piéger un adversaire est une forme d'art. Ce peut être fait de plusieurs manières et en utilisant une myriade d'outils de poker. Une

méthode utile est celle qui consiste à *sous-jouer* ou à *jouer lentement* une main. Cela peut cependant être dangereux car vous risquez de donner à votre opposant la possibilité d'obtenir une carte sur la rivière qui lui permettra de vous battre.

La clé pour piéger est de ne pas vous retrouver pris au piège! Si vous ratez votre tentative, vous devez être prêt à abandonner et à changer rapidement de stratégie.

Disons, par exemple, que, dans un tête-à-tête, vous ne faites qu'égaler la mise avant le flop avec une paire de Rois en main. Le flop révèle A♠7♥4♣. Oui, vous avez débuté avec une forte main, mais ce flop est dangereux et il met vos Rois en péril. Si votre adversaire a un As en main, il ne reste que deux cartes dans le paquet pour vous aider.

Alors que vous tentiez de tendre un piège, il ne s'est pas refermé comme vous le souhaitiez. Soyez prudent. Ne perdez pas un pot important après ce flop.

Un autre facteur qu'il vous faut surveiller dans les parties en tête-à-tête est l'augmentation des blinds. Plus ils augmentent, plus la force de la main des joueurs qui misent leur tapis diminue.

Dans la première ronde de jeu, par exemple, si deux joueurs misent tous leurs jetons avant le flop, vous devriez voir une confrontation entre R-R contre D-D ou même A-A contre R-R. Cependant, vers le cinquième niveau, les blinds seront si importants que les deux joueurs miseront plus pour défendre leurs blinds. À ce moment-là il est fréquent de voir un joueur miser tous ses jetons avec une faible main A-3, être égalé par un adversaire qui a R-10.

À mon avis, le poker en tête-à-tête sera la prochaine tendance. Il y a de plus en plus d'adeptes qui y jouent. Vous pouvez vous qualifier pour le Championnat national de poker en tête-à-tête en jouant en ligne. C'est exactement ce qu'a fait Josh Lochner. Il a battu 30 000 autres joueurs pour gagner sa place dans le groupe de 64 joueurs du Championnat de 2006.

Parties réunissant peu de joueurs (*shorthanded*)

Les livres de poker ne parlent pas beaucoup des parties réunissant peu de joueurs.

La plupart des jeux de Hold'em sont joués à neuf, dix ou même onze joueurs. Dans ce type de partie, pour pouvez jouer serré et attendre des mains de choix pour poursuivre. Parce que vous ne payez un blind que deux fois par ronde, la pression de jouer plusieurs mains est tout simplement inexistante.

Lorsque vous jouez dans une partie où se trouvent peu de joueurs, vous devez jouer plus de mains car chaque main que vous abandonnez vous coûte plus cher. Laissez-moi vous expliquer.

Disons que vous jouez une partie de Hold'em à dix joueurs dont les blinds représentent 5 $-10 $. Un tour de table vous coûtera 15 $ si vous ne jouez pas de main. Cela donne une moyenne de 1,50 $ par main (15 $ pour 10 mains). Cela ne semble pas exorbitant, mais regardez ce qui arrive si vous réduisez le nombre de joueurs à 5.

Maintenant, un tour de table vous coûtera encore 15 $, mais vous ne verriez que cinq mains. Cela signifie, en moyenne, que chaque main abandonnée coûtera 3 $. Si vous poussez un peu plus loin et que vous jouez à trois, il vous en coûterait 15 $ pour voir trois mains. C'est 5 $ par main !

La structure des antes et des blinds décidera de la largesse de votre jeu. Si, par exemple, il n'y avait pas de blinds et d'antes, il serait ridicule de jouer toute autre main qu'une paire d'As. Cependant, parce que vous devez payer une pénalité pour attendre les bonnes mains, ne jouer que A-A vous ferait perdre tous vos jetons en raison des antes.

D'accord, cela devrait suffire à expliquer pourquoi il est important de jouer plus de mains dans une partie comptant peu de joueurs. Il est aussi important de savoir quelles mains ajouter à votre répertoire et comment les jouer.

Dans ce type de parties, les mains qui pourraient gagner sans être améliorées prennent de la valeur, alors que les mains à tirage comme 7-6 assorties en perdent.

C'est très différent à une table de dix joueurs.

Une main comme 7-6 assorties présente un bon rendement, lorsque cinq ou six joueurs voient le flop. La main R-7 de couleurs différentes n'a pas le même succès. À l'inverse, cette dernière main a beaucoup plus de succès que l'autre dans les parties qui comptent peu de joueurs.

Dans les parties «*shorthanded*», il est aussi plus important de maintenir un style de jeu agressif que dans celles où la table est pleine.

Dans ce dernier cas, si un joueur augmente alors qu'il occupe l'une des premières positions et que vous vous trouvez au milieu avec une paire de 4 en main, il n'y a aucune raison pour vous de poursuivre. Vous pouvez abandonner tout de suite : ça ne vous a rien coûté.

Dans une partie à cinq joueurs, cependant, ce serait une occasion d'être agressif et d'augmenter de nouveau avant le flop. Oui, je comprends, c'est une petite paire, mais une paire de 4 est tout de même favorite pour gagner en tête-à-tête et ce, même contre A-R.

Comme règle, considérez les parties à peu de joueurs comme une bataille pour les antes et celles où la table est complète comme une partie où il faut attendre les mains de choix dans les bonnes situations. Vous ne subissez pas de pression pour jouer car les blinds ne reviennent pas aussi souvent.

C'est pourquoi tant de joueurs ont peur de jouer contre peu d'adversaires. C'est du poker stressant et plein d'énergie qui vous oblige à prendre des décisions complexes avec des mains plus faibles.

Franchement, les parties à peu de joueurs permettent aux meilleurs d'avoir du succès et aux plus faibles de se faire bousculer.

XLVII.

Les Séries mondiales du poker

Les Séries mondiales du poker (WSOP) constituent sans doute l'événement sportif qui comporte le plus d'argent et elles font un grand bond en avant chaque année. Depuis 1970, alors qu'il n'y avait que quelques joueurs pour débuter cette grande tradition, le nombre de participants a tranquillement augmenté, jusqu'à tout récemment.

Aujourd'hui, nous vivons une explosion qui transformera à jamais cet événement et qui a permis au poker d'atteindre des sommets inespérés. Lorsque Chris Moneymaker, un parfait inconnu, a remporté le championnat en 2003, 839 joueurs y étaient inscrits, plus de 300 de plus qu'en 2002.

La couverture d'ESPN du phénomène Moneymaker a ouvert les valves et, en 2004, 2 576 joueurs ont amassé chacun 10 000 $ pour tenter d'être le prochain Moneymaker. Cette année là, Greg «Fossilman» Raymer est devenu le troisième non professionnel de suite à remporter le titre le plus convoité du poker.

C'était presque assuré que l'événement sans limite de 2005 allait encore une fois battre le record de participation. Les sites de poker en ligne tenaient de petits tournois satellites où les participants pouvaient se qualifier pour le plus prestigieux tournoi de poker au monde en payant aussi peu que 9 $.

En 2005, le nombre de joueurs était de 5 619 et les bourses atteignaient un total formidable de 56,6 millions de dollars, dont 7,5 millions de dollars étaient destinés au gagnant. Seulement 300 de ces joueurs

étaient des professionnels. Encore une fois, un amateur était favori pour gagner. Pourquoi ? C'est tout simplement une question de statistiques.

Auparavant, alors qu'il n'y avait que 200 ou 300 joueurs, plus de la moitié étaient des professionnels du poker. Si leur nombre n'a pas beaucoup augmenté, celui des amateurs prêts à risquer 10 000 $ a fait un bond fulgurant.

On est en droit de se demander si un professionnel réussira à remporter encore les WSOP. Je le crois, mais en raison du grand nombre d'amateurs, ce serait une surprise.

Comprenez-moi bien, les professionnels sont toujours les favoris. Si vous pouviez miser sur 300 pros contre 300 amateurs, vous seriez largement favori. Ce n'est malheureusement pas ainsi que cela fonctionne, mais je crois que vous comprenez mon point de vue.

En 2005, vous n'auriez pu traiter de perdant aucun des joueurs de la table finale. Lorsque Mike «The mouth» Matusow a été éliminé, il était le dernier professionnel. Heureusement pour Mike, sa neuvième place lui a donné un million de dollars. Ce n'est pas une mauvaise semaine de travail !

Des huit concurrents restants, aucun n'avait déjà remporté un bracelet de champion des WSOP. Ces joueurs étaient presque inconnus. Joseph Hachem, de Melbourne, en Australie, a remporté les honneurs face à Steven Dannenmann, du Maryland, et est devenu instantanément une célébrité du poker.

Une semaine avant, personne dans le monde du poker n'avait entendu parler de ces deux hommes. Maintenant, c'est assurément fait. Ils sont connus par des millions de gens, grâce à ESPN.

Une différence énorme sépare le poker des autres sports que vous regardez à la télévision. Vous ne remporterez jamais le tournoi de tennis de Wimbledon. Vous ne connaîtrez jamais la sensation de réussir un trois-points au dernier instant pour remporter le septième match de la finale de la NBA. Vous n'aurez jamais la chance d'envoyer votre coup d'approche au 18e trou pour ravir les honneurs du Masters qui devaient revenir à Tiger Woods.

Par contre, vous pourriez battre Phil Hellmuth, éliminer Phil Ivey à l'aide d'un bluff ou même voler un énorme pot au blond qui arbore une boucle d'oreille et une barbichette, pour remporter le Saint Graal du poker.

Pour les puristes, cependant, les Séries mondiales du poker ne seront plus jamais les mêmes.

Regardez le mur des célébrités des WSOP : Johnny Chan, Doyle Brunson, Johnny Moss, Stu Ungar, tous des légendes de la communauté du poker. Cela donne la chair de poule. Plusieurs se demandent si ce n'est pas terminé pour toujours. Le club nostalgique des parieurs s'efface devant une loterie corporative : le poker pour les masses.

Les professionnels ne devraient pas se plaindre car ils ont obtenu une bonne augmentation de salaire. Certains utilisent leur nouvelle célébrité pour vendre des produits alors que d'autres remportent de l'argent dans des tournois où les prix sont beaucoup plus importants.

En 2001, la neuvième place rapportait 91 910 $. En 2006, Jamie Gold a remporté 12 500 000 $ pour sa première place.

Se plaindre ? Qui se plaint ?

XLVIII.

Exploiter votre image à la table

Comprendre la perception qu'ont de vous les autres joueurs de la table est souvent aussi essentiel que de savoir quelles cartes jouer. En fait, le plus important ajustement que j'ai dû faire pour pouvoir battre les meilleurs joueurs au monde a été de prendre conscience que mon jeu affectait l'image que je projetais à la table.

Voici un exemple très simple pour illustrer ce point. Disons que, dans une période de quinze minutes, vous avez été pris à bluffer quatre fois. Si vos adversaires sont le moindrement attentifs, ils vont prendre note de cette tendance. Les futurs bluffs seront beaucoup moins efficaces. Cela peut vous aider ou vous nuire, selon l'ajustement que vous apporterez à votre image.

Dans un sens, votre série de bluffs amènera vos adversaires à égaler la mise avec des mains plus faibles. Ils espéreront que vous bluffez encore. Lorsque vous aurez une très forte main, vous n'aurez rien de spécial à faire pour obtenir la pleine valeur pour votre main.

En revanche, vous devez être conscient que vos bluffs seront plus souvent égalés. Donc, vous devriez jouer plus serré et attendre de meilleures mains de départ.

Il y a des avantages et des désavantages à être identifié comme un bluffeur fou. Vous ne pourrez plus voler de pots à l'aide d'une mise bien placée. Mais en même temps, vous obtiendrez une pleine valeur pour vos mains fortes lorsque vous ne bluffez pas. Comme vous pouvez voir, même si votre image est établie, vous pouvez faire des ajustements et l'utiliser à votre avantage.

Voici un autre exemple : vous jouez depuis cinq heures et vous n'avez pas reçu beaucoup de bonnes mains. Vous avez si souvent abandonné que vous êtes vu comme un joueur très conservateur. Les quelques mains que vous avez jouées étaient très fortes.

Cette image de joueur serré a aussi ses avantages et es inconvénients. Vos adversaires ont noté que vous jouez comme le roc de Gibraltar et que, lorsque vous misez, vous avez toujours une excellente main. Utilisez cette image de table à votre avantage et volez de gros pots! Comme tout le monde vous voit comme M. Serré qui ne joue que les combinaisons les plus fortes, vos mises imposeront le respect.

Vous pouvez aussi profiter de cette image projetée à la table. Oui, vous allez perdre un peu de valeur lorsque vous aurez une bonne main, mais vous pourrez compenser lorsque vous blufferez avec une faible main pour remporter un énorme pot.

D'autres comportements affecteront aussi l'image que vous projetez à la table.

Disons que vous êtes en feu et que vous gagnez presque tous les pots. Vos adversaires pourraient commencer à vous craindre et se dire : «Ce joueur est trop chanceux.» De plus, votre état d'esprit positif dérangera les joueurs qui viennent de perdre plusieurs pots contre vous. Cette une excellente image à cultiver qui amènera vos adversaires frustrés à commettre plus d'erreurs.

À l'inverse, si vous n'êtes vraiment pas chanceux et que vous avez perdu plusieurs pots sur la rivière, vos opposants tenteront d'en prendre avantage. Ils vont présumer que vous êtes frustré parce que vous avez tant perdu. Cela leur donnera encore plus confiance.

Dans cette situation, restez impassible et évitez de vous plaindre ou de crier. Vos adversaires ne devraient jamais savoir que votre passage à vide vous affecte. Lorsque vous êtes battu aux tables, vous devez prendre votre mal en patience et quitter.

Bien sûr, lorsque les cartes sont avec vous et que votre image fonctionne bien, il faut l'exploiter. C'est alors que vous laissez savoir aux autres joueurs comment vous vous sentez. Dites quelque chose comme : «Encore de belles cartes! Ça n'arrêtera donc jamais!»

Renforcez votre image en étant «trop chanceux» et vous maintiendrez un avantage psychologique sur vos adversaires.

XLIX.

Les «bad beats» (perdre lorsque l'on est favori)

Je me suis probablement fait poser cette question plus souvent que toutes les autres :

«Comment réagis-tu aux bad beats?»

C'est une bonne question, surtout lorsque l'on considère l'importance de bien réagir à ces durs coups du destin que l'on ne peut éviter.

Il y a certainement des choses à faire et à ne pas faire dans ce cas. Commençons par celles qu'il ne faut pas faire.

1. Ne racontez pas d'histoires de bad beats.

Voulez-vous vraiment vous assurer que plus personne ne vous adressera la parole? Parlez-leur de la terrible malchance que vous venez d'avoir et de la main avec laquelle vous avez perdu.

C'est simple, cela ne les intéresse pas du tout. Les bad beats arrivent à tout le monde. Sérieusement, avez-vous déjà eu hâte que quelqu'un vous raconte son histoire de malchance? Gardez vos bad beats pour vous.

2. Ne perdez pas le contrôle.

Il arrive souvent aux joueurs qui ont une malchance de se mettre à mal jouer. Ils perdent contenance. Ils poursuivent des mains qu'ils ne devraient pas puisqu'ils ont l'impression que le fait de jouer de bonnes cartes ne fonctionne pas.

Réagir de cette manière gâchera assurément votre partie. Vous n'avez pas à tenter de nouvelles choses. Vous devez faire plus d'efforts pour bien jouer et pour suivre votre plan de match, malgré la malchance survenue.

3. Restez impassible.

Si les autres savent ce qui vous est arrivé, leur confiance s'emballera. Ils vont certainement rechercher l'occasion de vous attaquer. Comme des requins qui font des cercles autour de leur proie, lorsqu'ils vous sauront blessé, ils vous achèveront.

Vous devez garder contenance à la table de poker et ne pas laisser les bad beats affecter votre jeu. Le fait de rester calme et concentré vous aidera à récupérer rapidement.

Rappelez-vous aussi ceci : lorsque les joueurs vous demandent si vous recevez de bonnes cartes, c'est un truc. Répondez avec finesse quelque chose comme : « Assez bonnes. Je suis sur une bonne lancée. » Vous savez que les cartes sont froides comme de la glace, mais vos adversaires n'ont pas à le savoir. Gardez en mémoire que la tromperie est fondamentale au poker.

Et maintenant, voici certaines choses à faire pour vous aider à sortir du « blues des bad beats ».

1. Prenez une pause.

C'est tout simplement la meilleure manière de faire le plein d'énergie lorsque les cartes vous rient au nez. Vous devez avoir l'esprit clair afin de pouvoir vous concentrer et prendre les bonnes décisions.

Lorsque vous commencez à vous demander si votre paire d'As va perdre la main, vous avez désespérément besoin d'une pause !

2. Jouez des parties dont les limites sont moins élevées.

Il est souvent difficile, pour les joueurs, de se retrouver dans une partie où les limites sont moins élevées que ce à quoi ils sont habitués, mais c'est exactement ce que je vous suggère.

Laissez votre fierté de côté et rebâtissez votre confiance en jouant (et en gagnant) contre les joueurs plus faibles des parties dont les limites sont moins élevées.

3. Restez positif.

Si vous pensez que vous êtes un joueur malchanceux, vous en deviendrez un. C'est une prophétie qui s'accomplit d'elle-même et cela s'applique à toutes les facettes de votre vie.

Concentrez-vous pour prendre les bonnes décisions à la table et non sur le résultat. C'est ainsi que les meilleurs joueurs approchent le poker.

Oui, je sais que le fait de garder sa contenance et de rester positif est plus facile à dire qu'à faire. Je suis, moi aussi, passé par là. Tous les joueurs de poker l'ont fait. Lorsque vous commencez à croire que vous êtes le joueur le plus malchanceux au monde, je peux vous assurer que c'est un lien que vous avez avec environ un million de joueurs.

Pour certains joueurs de poker, c'est souvent : « Si je pouvais être aussi chanceux que ce petit gars à barbichette avec deux boucles d'oreille. Je pourrais le battre, mais il est trop chanceux. »

Vous pouvez être assuré que je suis chanceux, et pas seulement au poker. Je suis chanceux dans la vie car j'ai été élevé par deux parents fantastiques, je suis en santé et je vis dans un pays libre.

Si vous vous concentrez sur tous les bons aspects de votre vie, tout d'un coup, quelques mauvaises cartes, ce n'est pas vraiment important, n'est-ce pas ?

L.

Dernières réflexions

J'espère que vous avez eu autant de plaisir à lire ce livre que j'en ai eu à l'écrire. Vous avez sûrement noté quelques termes qui revenaient souvent tout au long de cet ouvrage. Ils définissent tous mon approche pour gagner et, j'espère, ajouteront du plaisir et du succès à votre jeu.

Si vous voulez devenir un meilleur joueur, un gagnant, vous devez d'abord et avant tout apprendre les bases du jeu. Lisez plusieurs livres, regardez le poker à la télévision et, bien sûr, gagnez le plus d'expérience possible et ce, dans les salles de cartes, dans les parties maison, sur Internet et dans les tournois.

De plus, poussez votre analyse. Ce n'est pas suffisant de simplement mémoriser comment jouer certaines mains, il faut aussi comprendre pourquoi elles doivent être jouées ainsi. Le poker est un très beau jeu avec tant de variables que vous ne pouvez le jouer avec des règles définies, comme le black jack. N'ayez pas peur d'essayer de nouvelles stratégies. Même si elles ne fonctionnent pas, vous aurez appris quelque chose.

Dernière chose : jouez avec style et grâce. Il n'y a aucune raison d'être détestable à la table de poker. En étant sympathique, je crois que vous aurez plus de succès dans la vie et au poker. Soyez toujours respectueux envers vos adversaires… pendant que vous essayez de leur prendre tout leur argent !